Petits Classiques

LAROUSSE

Collection fondée par Félix Guirand,
Agrégé des Lettres

Lorenzaccio

Alfred de Musset

D0169904

Drame

Édition présentée,
annotée et commentée
par Sylvie JOYE,
ancienne élève
de l'École normale supérieure

© Éditions Larousse 2006
ISBN : 978-2-03-586790-2

SOMMAIRE

Avant d'aborder l'œuvre

Lorenzaccio

MUSSET

Pour approfondir

AVANT D'ABORDER
L'ŒUVRE

Fiche d'identité de l'auteur

Musset

Nom : Alfred de Musset.

Naissance : 11 décembre 1810, à Paris.

Famille : vieille famille de petite noblesse. Le père a publié une édition savante des œuvres de Jean-Jacques Rousseau ; le grand-père maternel écrivait de la poésie.

Formation : brillant élève au lycée Henri IV. Études de droit, de médecine et de dessin, toutes vite abandonnées.

Début de sa carrière : succès immédiat de *Contes d'Espagne et d'Italie*, recueil de poésies d'une grande audace romantique (1829). *Les Secrètes Pensées de Rafaël* ; *Les Vœux stériles*, recueils de poésies en retrait par rapport à l'esthétique romantique (1830).

Tournant de sa carrière : 1830-1834 : œuvres dramatiques. *La Quittance du diable*, *Les Nuits vénitiennes*, échecs (1830) ; *Un spectacle dans un fauteuil : La Coupe et les lèvres*, *À quoi rêvent les jeunes filles* (1832) ; *André del Sarto* : succès relatif (1833) ; *Les Caprices de Marianne*, *Rolla* ; *Un spectacle dans un fauteuil : Fantasio* ; *On ne badine pas avec l'amour* ; *Lorenzaccio* (1834). 1835-1836 : œuvres autobiographiques liées à la rupture avec George Sand. *Les Nuits*, recueil de poèmes (1835) ; *La Confession d'un enfant du siècle* (1836) ; *Emmeline*, nouvelles (1837) ; *Un caprice*, comédies et proverbes (1840).

Dernière partie de sa carrière : 1840-1857 : période de réédition et de succès de ses anciens poèmes et pièces de théâtre. Poésies nouvelles. Pièces réellement jouées au théâtre à partir de 1847.

Mort : le 2 mai 1857, à Paris.

Alfred de Musset.
Médaillon de Pierre-Jean David d'Angers.

Repères chronologiques

Vie et œuvre de Musset	Événements politiques et culturels
1810 Naissance d'Alfred de Musset à Paris. **1819** Entre au collège Henri IV. **1827** Baccalauréat. **1828** Premiers contacts avec le Cénacle. **1829** *Contes d'Espagne et d'Italie*. **1830** *Les Vœux stériles* (poésie). *Les Nuits vénitiennes* (théâtre : échec). **1832** *Un spectacle dans un fauteuil* (pièces de théâtre non destinées à la scène). **1833** *André del Sarto, Les Caprices de Marianne, Rolla* (théâtre). Liaison avec George Sand. Départ pour l'Italie. **1834** Deuxième livraison d'*Un spectacle dans un fauteuil : Fantasio ; On ne badine pas avec l'amour ; Lorenzaccio*. **1835** Rupture définitive avec George Sand. *Les Nuits* (poèmes). **1836** ***La Confession d'un enfant du siècle***.	**1804** **Sacre de Napoléon Ier**. **1805** Bataille d'Austerlitz. **1809** *Les Martyrs* de Chateaubriand. **1810** *De l'Allemagne* de Madame de Staël. **1815** Les Cent-Jours. Waterloo. **1819** *Ivanhoé* de Walter Scott (roman). **1820** *Méditations poétiques* de Lamartine. **1822** *Poèmes* de Vigny ; *Odes* de Hugo. **1823** *Racine et Shakespeare* de Stendhal. **1824** Mort de Louis XVIII, Charles X roi de France. **1827** **Préface de *Cromwell* de Hugo**. **1828** **Shakespeare joué à Paris**. **1829** *Henri III et sa cour* de Dumas (théâtre). **1830** *Hernani* de Hugo ; « Bataille d'Hernani ». Révolution de Juillet : les Trois Glorieuses. Louis-Philippe roi des Français.

Repères chronologiques

Vie et œuvre de Musset	Événements politiques et culturels
1840 *Comédies et proverbes* (théâtre). **1852** Élection à l'Académie française. **1857** Mort de Musset.	*Le Rouge et le Noir* de Stendhal (roman). **1831** *Notre-Dame de Paris* de Hugo (roman). *Les Barricades, La Liberté guidant le peuple* de Delacroix (peinture). **1832** *Le Roi s'amuse* de Hugo (théâtre). **1833** Début de *L'Histoire de France* de Michelet. **1835** *Angelo tyran de Padoue* de Hugo ; *Chatterton* de Vigny (théâtre). **1838** *Ruy Blas* de Hugo. **1842** *Les Trois Mousquetaires* de Dumas (roman). **1848** Révolution de Février, seconde République. **1851** Coup d'État du 2 décembre, second Empire. Napoléon III. **1857** *Madame Bovary* de Flaubert (roman) ; *Les Fleurs du mal* de Baudelaire (poésie).

Fiche d'identité de l'œuvre

Lorenzaccio

Registres : tragique, comique, lyrique.

Genre : théâtre, drame.

Structure : cinq actes.

Auteur : Alfred de Musset, XIXe siècle.

Forme : dialogue en prose.

Objets d'étude : le théâtre : texte et représentation ; un mouvement d'histoire littéraire : le romantisme ; l'argumentation.

Principaux personnages : Lorenzo (surnommé Lorenzaccio), Alexandre de Médicis et ses hommes de main, la famille Strozzi et ses alliés républicains, le cardinal Cibo, la marquise Cibo, la population de Florence (plus de 50 personnages).

Sujet : Lorenzo s'est donné pour but de libérer Florence de la tyrannie d'Alexandre de Médicis. Pour l'approcher, il est devenu le complice de ses basses œuvres et, dans cette tâche, son identité s'est dissoute. Les républicains, menés par Strozzi, conspirent, mais sont inefficaces. Lorenzo tue le duc, mais Florence ne retrouve pas la liberté, ni lui le repos. Le cardinal Cibo réussit à imposer un nouveau tyran, et Lorenzo est assassiné dans des circonstances ignominieuses.

Représentations de la pièce : à cause de la multiplicité des personnages et des changements de décors, *Lorenzaccio* ne fut pas représentée avant 1896, quand Sarah Bernhard la monte et s'attribue le rôle-titre. Dès lors, le rôle revient à des femmes et de nombreux arrangements dénaturent le sens de la pièce. Cette tradition cesse à partir de l'adaptation réalisée par Jean Vilar et Gérard Philipe en 1952, qui met en avant le conflit politique.

Sarah Bernhardt dans le rôle de Lorenzo
au Théâtre de la Renaissance, en 1896.

L'œuvre dans son siècle

L'ordre bourgeois de la monarchie de Juillet

Lorenzo, jeune noble entouré d'une famille protectrice, partage de nombreux points communs avec son créateur. Alfred de Musset est en effet issu d'une famille de noblesse relativement modeste mais ancienne. Il voit d'un œil très critique la monarchie bourgeoise représentée par Louis-Philippe. La fin de la seconde Restauration et l'avènement de la monarchie de Juillet en 1830 avaient suscité de grands espoirs. Mais les libéraux déchantent rapidement. L'histoire des Trois Glorieuses (27, 28 et 29 juillet 1830) est celle d'une révolution confisquée par le pouvoir. Il en va de même du tyrannicide commis par Lorenzo et récupéré par le cardinal Cibo, qui débouche sur l'installation d'un tyran en tout point semblable à Alexandre. Certes, Charles X a dû abdiquer, mais Louis-Philippe déçoit les attentes des républicains. C'est la bourgeoisie d'affaires qui est la seule bénéficiaire du changement de régime. L'aristocratie de l'argent remplace l'aristocratie de la naissance. Cela explique en grande partie que Musset ait fait intervenir des grands marchands de Florence au début et à la fin de sa pièce. Dans les années 1830, la France connaît une vive crise économique qui frappe de plein fouet les plus pauvres, et qui est encore avivée par une épidémie de choléra en 1832.

Dès 1832, les révoltes populaires qui ont accompagné les funérailles du général Lamarque sont férocement réprimées. Les libéraux perdent définitivement tout espoir dans le régime. Cet événement a frappé durablement les esprits des auteurs romantiques des années 1830. Hugo en fera l'une des péripéties les plus dramatiques de son roman *Les Misérables*. Comme le Marius de Hugo, les « républicains » de la pièce de Musset sont des jeunes gens à la parole habile et qui rêvent d'héroïsme. Mais leur action n'a finalement aucune portée politique.

L'œuvre dans son siècle

Une génération désenchantée

LA PLUPART DES PERSONNAGES de *Lorenzaccio* sont jeunes. Lorenzo, les fils Strozzi, l'artiste Tebaldeo, le duc, sont tous des jeunes gens aux prises avec les hommes de la génération précédente, qui détiennent le pouvoir. Ils essaient de s'opposer à eux, mais la lutte semble perdue d'avance : c'est le cardinal Cibo, prototype de l'homme d'appareil, qui est finalement le grand vainqueur. La pièce se termine comme elle avait commencé, par l'évocation d'une société qui s'accommode assez bien de vivre sous la coupe d'un tyran.

CETTE LEÇON est représentative de l'impression d'impuissance et d'immobilisme politique ressentie par les jeunes romantiques des années 1833-1835. La génération d'Alfred de Musset est composée de jeunes gens nés à l'époque glorieuse du premier Empire, mais ne l'ont pas réellement connue. Ils ressentent une forte nostalgie de cette période où tout semblait possible et où la gloire militaire permettait à de très jeunes gens d'atteindre rapidement de hautes fonctions. Le père de Musset avait servi l'empereur. Le père de Victor Hugo comme celui d'Alexandre Dumas étaient des généraux d'Empire. La gloire de ces pères a durablement marqué les jeunes romantiques des années 1830.

CE DÉSENCHANTEMENT est exprimé à un point paroxystique par Musset, en 1836, dans *La Confession d'un enfant du siècle*, manifeste de toute une génération, où l'auteur se représente comme un véritable héros romantique, souffrant du « mal du siècle ».

Les errances du héros romantique

CES JEUNES GENS sont d'autant plus désemparés par l'immobilisme ambiant qu'ils ont l'impression d'avoir raté de peu le train de l'Histoire. Le Julien Sorel du *Rouge et le Noir* de Stendhal est plein de mépris pour la société bourgeoise de son époque, que l'héroïsme a désertée. Comme lui, Lorenzo trouve dans le meurtre un exutoire à l'inanité de sa vie. Et comme lui, il est tué peu après. Lorenzo apparaît finalement comme le prototype du héros romantique, dont le Moi est déchiré. Le titre de l'œuvre reprend la tradition éponyme. Celui-ci ne sert cependant pas seulement à indiquer dès le premier abord au spectateur qui est le personnage principal de la pièce. Il reprend en effet le sobriquet dépréciatif du héros, dont le nom est en réalité Lorenzo. D'emblée, l'accent est mis sur sa déchéance et ses compromissions. Le procédé est le même que celui utilisé par Corneille lorsqu'il avait intitulé une de ses pièces *Le Cid* (1637). Lorenzo est une espèce d'anti-Rodrigue. Ce dernier voit ses qualités intrinsèques s'exprimer grâce à son exploit, qui fait de lui le Cid (le Seigneur) : elles soulignent la force de sa personnalité. Lorenzo, au contraire, ne retrouve pas son identité perdue, malgré la réalisation de son projet de meurtre.

L'époque des révolutions nationales

En France, dans les années 1830, la situation politique et sociale semble bloquée pour les jeunes romantiques. En revanche, ailleurs en Europe, le réveil des nationalismes amène une grande agitation politique. Les accords de Vienne, conclus après la chute de Napoléon, en 1815, ont institué un découpage de l'Europe allant à l'encontre des aspirations de nombreuses minorités nationales. La Florence de Lorenzo, dominée par des forces étrangères, est une image de ces peuples opprimés.

L'insurrection belge contre le roi des Pays-Bas, Guillaume Ier, éclate peu après les Trois Glorieuses françaises. L'insurrection polonaise dure de novembre 1830 à septembre 1831. Elle se termine par la prise de Varsovie par les Russes, à la suite d'une résistance héroïque. En Italie, terrain de l'action de *Lorenzaccio*, les Romagnes, puis les duchés de Parme et de Modène, se soulèvent. En 1832, le pape réussit à venir à bout de la révolte romagnole en faisant appel à l'armée autrichienne. Des attentats régicides éclatent. Musset suit pleinement l'actualité en faisant du thème du tyrannicide, c'est-à-dire du meurtre du tyran, le moteur de l'intrigue de sa pièce. Celle-ci se présente comme une critique lucide de la tyrannie et une ode à la liberté. Cependant, elle souligne les limites de l'action politique. Les révolutions nationales des années 1830 s'étaient achevées par un échec cuisant. Il en va de même de l'action de Lorenzo : elle n'a pas de conséquences politiques.

Le goût de l'exotisme et de l'Histoire

Les auteurs romantiques sont épris de voyage. Alexandre Dumas, par exemple, en publie de nombreux récits. Ceux-ci retracent des périples qui vont de l'Afrique du Nord à la Russie, en passant plus particulièrement par l'Italie, pays qui est la grande passion de Stendhal. À l'époque de la rédaction de *Lorenzaccio*, Musset effectue un long voyage en Italie avec l'écrivain George Sand, avec qui il vit des amours compliquées. Les actions des pièces romantiques sont souvent situées en Angleterre (*Cromwell* de Hugo), en Allemagne (*Les Burgraves* de Hugo), et surtout en Espagne (*Hernani* ou *Ruy Blas* de Hugo) et en Italie, comme *Lorenzaccio*. Ce goût pour les sujets étrangers, et en particulier italiens, ne concerne pas que le théâtre. La première œuvre de Musset est un recueil de poèmes publié sous le titre de *Contes d'Espagne et d'Italie*.

Au théâtre, les romantiques cherchent à s'éloigner des références gréco-romaines chères aux classiques. Ils puisent plus volontiers dans l'histoire moderne les sujets de leurs pièces. La redécouverte de l'Histoire est en effet un des traits les plus caractéristiques du romantisme. Le roman historique devient un genre florissant. Les ouvrages de l'Anglais Walter Scott, tel *Ivanhoé* (1819), mettent en scène un passé national ou un passé chrétien héroïques, en rupture avec l'Antiquité. Le Moyen Âge est ainsi réhabilité, notamment dans *Notre-Dame de Paris* (1831) de Hugo. Musset, lui, est davantage fasciné par la Renaissance. Son poème *Les Vœux stériles* (1831) faisait déjà l'éloge de cette époque.

L'œuvre dans son siècle

L'ÉTUDE DE L'HISTOIRE connaît un essor tout à fait nouveau. C'est dans les années 1830 que paraissent *Les Récits des temps mérovingiens* (1833-1840) d'Augustin Thierry et *L'Histoire de France* (1833-1869) de Jules Michelet, lequel considère le peuple comme le grand acteur de l'Histoire. Ces historiens sont eux-mêmes fortement liés au mouvement romantique. Augustin Thierry, notamment, a indiqué dans la préface de son œuvre combien la lecture des *Martyrs* de Chateaubriand (1809) fut déterminante dans sa vocation. Il ne s'agit pas de se réfugier dans le passé ou dans l'exotisme simplement pour fuir la situation française. Comme dans *Lorenzaccio*, les conflits qui surgissent dans les œuvres romantiques sont conçus comme une transposition des tensions qui traversent la société française des années 1830.

L'essor du drame romantique

LES ANNÉES 1830-1848 constituent l'apogée de la période romantique en France. La figure de l'artiste s'affirme face à celle du bourgeois, triomphante d'un point de vue économique, social et politique. Les Jeunes-France, groupe littéraire auquel appartient Théophile Gautier, mettent en avant le seul amour de l'art, et adoptent une attitude fantaisiste qui se veut à l'opposé du culte ambiant de l'argent. Les poètes, les peintres, les sculpteurs se réunissent dans des « cénacles », tel celui créé par Hugo. Musset se rapproche de ce mouvement dès sa prime jeunesse, et ses premières poésies présentent des accents romantiques très marqués.

À PARTIR DES ANNÉES 1820, les pièces de Shakespeare sont jouées avec succès à Paris. Pour les écrivains romantiques, c'est une révélation. Shakespeare et l'Allemand Schiller deviennent les modèles des dramaturges romantiques. Ils ne se limitent cependant pas à ces références savantes. Ceux-ci s'inspirent aussi du mélodrame, qui est le genre à la mode dans les théâtres populaires. Les théories du drame sont élaborées, dès la fin des

L'œuvre dans son siècle

années 1820, dans l'introduction de *Cromwell* de Hugo ou dans l'essai *Racine et Shakespeare* de Stendhal.

Dans les années 1830, c'est par le théâtre qu'un auteur peut espérer acquérir la gloire. *Lorenzaccio* est sans doute aujourd'hui le drame romantique le plus connu et le plus joué. Cela est pourtant paradoxal dans la mesure où la pièce ne fut jamais représentée du vivant de Musset. Elle fut conçue par lui comme un « Spectacle dans un fauteuil ». Cette démarche est l'héritière du succès des « scènes historiques ». C'est d'ailleurs une de ces œuvres rédigée par George Sand, *Une conspiration en 1537*, qui sert de point de départ à la rédaction de Lorenzaccio.

Le premier drame romantique présenté sur scène est *Henri III et sa cour* de Dumas, en 1829. L'acte de naissance du drame romantique est cependant la « bataille d'*Hernani* », déclenchée en 1830 à la sortie de la pièce de Hugo. En 1833, le drame romantique est devenu le genre théâtral à succès, et l'œuvre de Musset est marquée par les influences des maîtres du genre, Hugo et Vigny.

Lire l'œuvre aujourd'hui

L'action politique est-elle possible ?

Alors que le terme drame, à l'origine, désigne l'action, la pièce de Musset apparaît comme une remise en cause de l'action, et en particulier de l'action politique. L'Histoire se répète souvent. Ce constat est le point d'appui de *Lorenzaccio*, qui s'ouvre et se ferme par la mise en scène d'un tyran et les préoccupations individuelles et matérielles des marchands. Pourquoi cette répétition de l'Histoire ? Dans la pièce, il est clair que nul n'est capable de tirer des leçons de l'Histoire. Ainsi les républicains, après la mort du duc, laissent s'installer Côme, un nouveau tyran. L'idéalisme est incapable de changer le cours du monde.

Le souci de la gestion de la cité intervient explicitement dans trente-quatre des trente-huit scènes de la pièce. Tous les personnages se trouvent confrontés à cette question essentielle : la fin justifie-t-elle les moyens, quels qu'ils soient, lorsque l'on croit servir une cause juste ? Toutes les compromissions sont-elles admissibles ? La vertueuse marquise Cibo espère pouvoir influer de manière positive sur le duc en entrant dans son lit et en trompant son mari, mais elle déchoit alors à ses yeux et à ceux de son mari, sans parvenir à son but.

La justesse de la cause défendue par ceux qui s'engagent dans l'action politique semble parfois difficile à déterminer. L'impossibilité de prévoir les conséquences réelles de l'action rend les sacrifices discutables. Tous les personnages qui cherchent à renverser Alexandre proclament qu'ils sont mus par l'intérêt général et l'idéal de liberté. En fait, cet idéal recouvre des réalités bien différentes. Ainsi, les grandes familles républicaines comme celle des Strozzi, sous couvert d'idéal politique, cherchent surtout à maintenir leurs privilèges. Il ne s'agit pas pour eux de faire de Florence une démocratie. Quant à la marquise Cibo, elle désire l'indépendance de Florence face aux puissances étrangères.

Lorenzo est prêt à faire le sacrifice de sa vie pour offrir à sa cité ce qui lui semble être le Bien. Il est même prêt à mettre de côté ses principes pour parvenir à ce but. Vertueux, il sombre dans la débauche et se résout à commettre un meurtre. Il ne sait plus lui-même pourquoi il doit exécuter ce meurtre, si ce n'est pour se donner la preuve que sa vie à un sens. Le danger du fanatisme pointe. L'action politique n'est plus qu'un prétexte pour retrouver une identité perdue.

L'homme peut-il s'accomplir ?

Personnalité déchirée, contradictoire, comme la plupart des héros romantiques, Lorenzo ne peut être assimilé à ces héros masqués qui feignent l'indolence le jour mais deviennent d'énergiques redresseurs de torts la nuit. Son action marque sa conscience. Le paraître et l'être se rejoignent. La personnalité de Lorenzo, la perception qu'il a de lui-même, de son existence et de ses valeurs se diluent à la mesure de la dissimulation dont il doit faire preuve pour intégrer le cercle des proches d'Alexandre.

Face à une société qui l'amène à commettre des actes qu'il réprouve intérieurement, l'homme peut-il s'accomplir ? La réponse de Musset est négative. L'action (réelle ou théâtrale) est dénoncée, elle n'est ni révélatrice ni porteuse de sens. Le thème récurrent du déguisement et du masque renvoie à l'aspect théâtral de la réalité même. La parole (et en particulier la parole théâtrale) devient l'élément réellement signifiant. C'est par elle que les tourments du personnage se traduisent. C'est elle qui porte le sens de la pièce.

Acte Premier

Sc. 1. Un jardin — clair de lune ; un pavillon dans le fond, un autre sur le devant.

Entrent Le Duc et Lorenzo couverts de leurs manteaux ; Giomo une lanterne à la main.

Le Duc. Qu'elle se fasse attendre encore un quart d'heure, et je m'en vais. Il fait un froid de tous les diables.

Lorenzo. Patience, Altesse — patience.

Le Duc. Elle devait sortir de chez sa mère à minuit. Il est minuit, et elle ne vient pourtant pas.

Lorenzo. Si elle ne vient pas, dites que je suis un sot, et que la vieille mère est une honnête femme.

Le Duc. Entrailles du pape, avec tout cela je suis volé d'un millier de ducats.

Lorenzo. Nous n'avons avancé que moitié ; Je réponds de la petite ; friande ! deux grands yeux languissants, cela ne trompe pas. Quoi de plus curieux pour le connaisseur que la débauche à la mamelle ! Voir dans un enfant de quinze ans la rouée à venir ; étudier, ensemencer, infiltrer paternellement le filon mystérieux dans un conseil d'ami, dans une caresse au menton, — tout dire et ne rien dire, selon le caractère des parents, — habituer doucement l'imagination qui se développe à donner des corps à ses fantômes à toucher ce qui l'effraye, à mépriser ce qui la protège ! cela va plus vite qu'on ne pense ; est de frapper juste ; et quel trésor que celle-ci, le vrai mérite tout ce qui peut faire passer une nuit délicieuse à votre altesse ! Tant de pudeur !

Première page du manuscrit de *Lorenzaccio*.

Lorenzaccio

Alfred de Musset

Drame (1834),
représenté
pour la première fois
le 3 décembre 1896

PERSONNAGES

ALEXANDRE DE MÉDICIS *duc de Florence.*
LORENZO DE MÉDICIS (LORENZACCIO)
CÔME DE MÉDICIS } *ses cousins.*
LE CARDINAL CIBO
LE MARQUIS CIBO *son frère.*
SIRE MAURICE *chancelier des Huit.*
LE CARDINAL BACCIO VALORI *commissaire apostolique.*
JULIEN SALVIATI
PHILIPPE STROZZI
PIERRE STROZZI } *ses fils.*
THOMAS STROZZI
LÉON STROZZI *prieur de Capoue.*
ROBERTO CORSINI *provéditeur de la forteresse.*
PALLA RUCCELLAI
ALAMANNO SALVIATI } *seigneurs républicains.*
FRANÇOIS PAZZI
BINDO ALTOVITI *oncle de Lorenzo.*
VENTURI *bourgeois.*
TEBALDEO *peintre.*
SCORONCONCOLO *spadassin.*
LES HUIT
GIOMO LE HONGROIS *écuyer du duc.*
MAFFIO *bourgeois.*
MARIE SODERINI *mère de Lorenzo.*
CATHERINE GINORI *tante de Lorenzo.*
LA MARQUISE CIBO
LOUISE STROZZI.

Deux dames de la cour et un officier allemand.

Un orfèvre, un marchand, deux précepteurs et deux enfants, pages, soldats, moines, courtisans, bannis, écoliers, domestiques, bourgeois, etc.

La scène est à Florence.

ACTE I

Scène 1
Un jardin. – Clair de lune ;
un pavillon dans le fond,
un autre sur le devant. Entrent
LE DUC et LORENZO, couverts
de leurs manteaux ; GIOMO,
une lanterne à la main.

LE DUC. Qu'elle se fasse attendre encore un quart d'heure, et je m'en vais. Il fait un froid de tous les diables.

LORENZO. Patience, Altesse, patience.

LE DUC. Elle devait sortir de chez sa mère à minuit ; il est minuit, et elle ne vient pourtant pas. 5

LORENZO. Si elle ne vient pas, dites que je suis un sot, et que la vieille mère est une honnête femme.

LE DUC. Entrailles du pape[1] ! avec tout cela je suis volé d'un millier de ducats[2].

LORENZO. Nous n'avons avancé que moitié[3]. Je réponds 10
de la petite. Deux grands yeux languissants, cela ne trompe pas. Quoi de plus curieux pour le connaisseur que la débauche à la mamelle[4] ? Voir dans une enfant de quinze ans la rouée[5] à venir ; étudier, ensemencer, infiltrer paternellement le filon mystérieux du vice dans un conseil 15
d'ami, dans une caresse au menton – tout dire et ne rien dire, selon le caractère des parents ; – habituer douce-ment l'imagination qui se développe à donner des corps à ses fantômes, à toucher ce qui l'effraye, à mépriser ce qui la protège ! Cela va plus vite qu'on ne pense ; le vrai 20

---

1. **Entrailles du pape :** juron qui montre le mépris pour l'Église.
2. **Ducats :** monnaie d'or (à l'origine frappée à l'effigie du duc).
3. **Avancé que moitié :** la moitié de la somme.
4. **Débauche à la mamelle :** première apparition du thème de la débauche lié à celui de l'innocence.
5. **Rouée :** perverse, libertine.

mérite est de frapper juste. Et quel trésor que celle-ci !
tout ce qui peut faire passer une nuit délicieuse à Votre
Altesse ! Tant de pudeur ! Une jeune chatte qui veut bien
des confitures, mais qui ne veut pas se salir la patte.
25 Proprette comme une Flamande ! La médiocrité bourgeoise en personne. D'ailleurs, fille de bonnes gens, à qui
leur peu de fortune n'a pas permis une éducation solide ;
point de fond dans les principes, rien qu'un léger vernis ;
mais quel flot violent d'un fleuve magnifique sous cette
30 couche de glace fragile qui craque à chaque pas ! Jamais
arbuste en fleur n'a produit de fruits plus rares, jamais je
n'ai humé dans une atmosphère enfantine plus exquise
odeur de courtisanerie[1].

LE DUC. Sacrebleu ! je ne vois pas le signal. Il faut pour-
35 tant que j'aille au bal chez Nasi[2] ; c'est aujourd'hui qu'il
marie sa fille.

GIOMO. Allons au pavillon, monseigneur. Puisqu'il ne
s'agit que d'emporter une fille qui est à moitié payée, nous
pouvons bien taper aux carreaux.

40 **LE DUC.** Viens par ici ; le Hongrois a raison.
Ils s'éloignent. — Entre Maffio.

MAFFIO. Il me semblait dans mon rêve voir ma sœur traverser notre jardin, tenant une lanterne sourde[3], et cou-
verte de pierreries. Je me suis éveillé en sursaut. Dieu sait
45 que ce n'est qu'une illusion, mais une illusion trop forte
pour que le sommeil ne s'enfuie pas devant elle. Grâce au
ciel, les fenêtres du pavillon où couche la petite sont fermées comme de coutume ; j'aperçois faiblement la
lumière de sa lampe entre les feuilles de notre vieux
50 figuier. Maintenant mes folles terreurs se dissipent ; les

---

1. **Courtisanerie :** prostitution.
2. **Nasi :** vieille famille de Florence ralliée aux Médicis.
3. **Lanterne sourde :** lanterne dont on peut cacher la lumière à volonté
et qui permet de voir sans être vu.

battements précipités de mon cœur font place à une douce tranquillité. Insensé ! mes yeux se remplissent de larmes, comme si ma pauvre sœur avait couru un véritable danger. – Qu'entends-je ? Qui remue là entre les branches ? *(La sœur de Maffio passe dans l'éloignement.)* 55 Suis-je éveillé ? c'est le fantôme de ma sœur. Il tient une lanterne sourde, et un collier brillant étincelle sur sa poitrine aux rayons de la lune. Gabrielle ! Gabrielle ! où vas-tu ?
Rentrent Giomo et le duc.

GIOMO. Ce sera le bonhomme de frère pris de somnam- 60 bulisme. – Lorenzo conduira votre belle au palais par la petite porte ; et quant à nous, qu'avons-nous à craindre ?

MAFFIO. Qui êtes-vous ? Holà ! arrêtez !
Il tire son épée.

GIOMO. Honnête rustre[1], nous sommes tes amis. 65

MAFFIO. Où est ma sœur ? que cherchez-vous ici ?

GIOMO. Ta sœur est dénichée[2], brave canaille. Ouvre la grille de ton jardin.

MAFFIO. Tire ton épée et défends-toi, assassin que tu es !

GIOMO *saute sur lui et le désarme.* Halte-là ! maître sot, 70 pas si vite.

MAFFIO. Ô honte ! ô excès de misère ! S'il y a des lois à Florence, si quelque justice vit encore sur la terre, par ce qu'il y a de vrai et de sacré au monde, je me jetterai aux pieds du duc, et il vous fera pendre tous les deux. 75

GIOMO. Aux pieds du duc ?

MAFFIO. Oui, oui, je sais que les gredins de votre espèce égorgent impunément les familles. Mais que je meure, entendez-vous, je ne mourrai pas silencieux comme tant d'autres. Si le duc ne sait pas que sa ville est une forêt 80

---

1. **Honnête rustre :** alliance ironique de deux mots (oxymore).
2. **Dénichée :** tirée du nid.

pleine de bandits, pleine d'empoisonneurs et de filles dés-
honorées, en voilà un qui le lui dira. Ah ! massacre ! ah !
fer et sang ! j'obtiendrai justice de vous !

GIOMO, *l'épée à la main.* Faut-il frapper, Altesse ?

85 **LE DUC.** Allons donc ! frapper ce pauvre homme ! Va te
recoucher, mon ami, nous t'enverrons demain quelques
ducats.
Il sort.

MAFFIO. C'est Alexandre de Médicis !

90 **GIOMO.** Lui-même, mon brave rustre. Ne te vante pas de
sa visite, si tu tiens à tes oreilles.
Il sort.

Scène 2

Une rue. — Le point du jour.
Plusieurs masques sortent
d'une maison illuminée ;
UN MARCHAND DE SOIERIES
et UN ORFÈVRE *ouvrent*
leurs boutiques.

LE MARCHAND DE SOIERIES. Hé, hé, père Mondella,
voilà bien du vent pour mes étoffes.
Il étale ses pièces de soie.

L'ORFÈVRE, *bâillant.* C'est à se casser la tête. Au diable
leur noce ! je n'ai pas fermé l'œil de la nuit.   5

LE MARCHAND. Ni ma femme non plus, voisin ; la chère
âme s'est tournée et retournée comme une anguille. Ah !
dame ! quand on est jeune, on ne s'endort pas au bruit des
violons.

L'ORFÈVRE. Jeune ! jeune ! cela vous plaît à dire. On n'est   10
pas jeune avec une barbe comme celle-là, et cependant
Dieu sait si leur damnée musique me donne envie de danser.
Deux écoliers[1] passent.

PREMIER ÉCOLIER. Rien n'est plus amusant. On se glisse
contre la porte au milieu des soldats, et on les voit descendre[2] 15
avec leurs habits de toutes les couleurs. Tiens, voilà la
maison des Nasi. *(Il souffle dans ses doigts.)* Mon portefeuille[3] me glace les mains.

DEUXIÈME ÉCOLIER. Et on nous laissera approcher ?

PREMIER ÉCOLIER. En vertu de quoi est-ce qu'on nous   20
en empêcherait ? Nous sommes citoyens de Florence.

---

1. **Écoliers :** étudiants, ici apprentis peintres.
2. **Les voit descendre :** les masques ou les invités à la fête.
3. **Portefeuille :** carton à dessins.

Regarde tout ce monde autour de la porte ; en voilà des
chevaux, des pages et des livrées ! Tout cela va et vient, il
n'y a qu'à s'y connaître un peu ; je suis capable de nom-
25 mer toutes les personnes d'importance ; on observe bien
tous les costumes, et le soir on dit à l'atelier : J'ai une terrible
envie de dormir, j'ai passé la nuit au bal chez le prince
Aldobrandini, chez le comte Salviati[1] ; le prince était
habillé de telle ou telle façon, la princesse de telle autre, et
30 on ne ment pas. Viens, prends ma cape par derrière.
Ils se placent contre la porte de la maison.

L'ORFÈVRE. Entendez-vous les petits badauds ? Je voudrais qu'un de mes apprentis fît un pareil métier !

LE MARCHAND. Bon, bon, père Mondella, où le plaisir ne
35 coûte rien, la jeunesse n'a rien à perdre. Tous ces grands
yeux étonnés de ces petits polissons me réjouissent le
cœur. — Voilà comme j'étais, humant l'air et cherchant les
nouvelles. Il paraît que la Nasi est une belle gaillarde, et
que le Martelli est un heureux garçon. C'est une famille
40 bien florentine, celle-là ! Quelle tournure ont tous ces
grands seigneurs ! J'avoue que ces fêtes-là me font plaisir,
à moi. On est dans son lit bien tranquille, avec un coin de
ses rideaux retroussé ; on regarde de temps en temps les
lumières qui vont et viennent dans le palais ; on attrape
45 un petit air de danse sans rien payer, et on se dit : Hé ! hé !
ce sont mes étoffes qui dansent[2], mes belles étoffes du
bon Dieu, sur le cher corps de tous ces braves et loyaux
seigneurs.

L'ORFÈVRE. Il en danse plus d'une qui n'est pas payée,
50 voisin ; ce sont celles-là qu'on arrose de vin et qu'on frotte
sur les murailles avec le moins de regret. Que les grands
seigneurs s'amusent, c'est tout simple — ils sont nés pour

---

1. **Salviati :** grande famille de Florence.
2. **Ce sont mes étoffes qui dansent :** les marchands tirent profit du
grand train de vie des grands seigneurs en leur vendant leurs étoffes.

cela. Mais il y a des amusements de plusieurs sortes, entendez-vous ?

LE MARCHAND. Oui, oui, comme la danse, le cheval, le jeu de paume et tant d'autres. Qu'entendez-vous vous-même, père Mondella ? 55

L'ORFÈVRE. Cela suffit. – Je me comprends. – C'est-à-dire que les murailles de tous ces palais-là n'ont jamais mieux prouvé leur solidité. Il leur fallait moins de force pour 60 défendre les aïeux de l'eau du ciel qu'il ne leur en faut pour soutenir les fils quand ils sont trop pris de leur vin.

LE MARCHAND. Un verre de vin est de bon conseil, père Mondella. Entrez donc dans ma boutique, que je vous montre une pièce de velours. 65

L'ORFÈVRE. Oui, de bon conseil et de bonne mine, voisin ; un bon verre de vin vieux a une bonne mine au bout d'un bras qui a sué pour le gagner ; on le soulève gaiement d'un petit coup, et il s'en va donner du courage au cœur de l'honnête homme qui travaille pour sa famille. 70 Mais ce sont des tonneaux sans vergogne, que tous ces godelureaux[1] de la cour. À qui fait-on plaisir en s'abrutissant jusqu'à la bête féroce ? À personne, pas même à soi, et à Dieu encore moins.

LE MARCHAND. Le carnaval a été rude, il faut l'avouer ; 75 et leur maudit ballon[2] m'a gâté de la marchandise pour une cinquantaine de florins[3]. Dieu merci ! les Strozzi l'ont payée.

---

1. **Godelureaux :** jeunes hommes qui font le joli cœur auprès des femmes.
2. **Ballon :** « c'était l'usage au carnaval de traîner dans les rues un énorme ballon qui renversait les passants et les devantures des boutiques. Pierre Strozzi avait été arrêté pour ce fait ». Il semblerait que ce soient Robert et Vincent, frères de Pierre, qui aient été arrêtés. Varchi rapporte cela en donnant force détails (note de Musset).
3. **Florin :** monnaie frappée de la fleur de lys.

L'ORFÈVRE. Les Strozzi ! Que le ciel confonde ceux qui
80 ont osé porter la main sur leur neveu ! Le plus brave
homme de Florence, c'est Philippe Strozzi.

LE MARCHAND. Cela n'empêche pas Pierre Strozzi d'avoir
traîné son maudit ballon sur ma boutique, et de m'avoir
fait trois grandes taches dans une aune[1] de velours brodé.
85 À propos, père Mondella, nous verrons-nous à Montolivet[2] ?

L'ORFÈVRE. Ce n'est pas mon métier de suivre les foires ;
j'irai cependant à Montolivet par piété. C'est un saint pèlerinage, voisin, et qui remet tous les péchés.

LE MARCHAND. Et qui est tout à fait vénérable, voisin, et
90 qui fait gagner les marchands plus que tous les autres
jours de l'année. C'est plaisir de voir ces bonnes dames, sortant de la messe, manier, examiner toutes les étoffes. Que
Dieu conserve Son Altesse ! La cour est une belle chose.

L'ORFÈVRE. La cour ! le peuple la porte sur le dos, voyez-
95 vous ! Florence était encore (il n'y a pas longtemps de cela)
une bonne maison bien bâtie ; tous ces grands palais, qui
sont les logements de nos grandes familles, en étaient les
colonnes. Il n'y en avait pas une, de toutes ces colonnes, qui
dépassât les autres d'un pouce ; elles soutenaient à elles
100 toutes une vieille voûte bien cimentée, et nous nous prome-
nions là-dessous sans crainte d'une pierre sur la tête. Mais il
y a de par le monde deux architectes malavisés qui ont gâté
l'affaire ; je vous le dis en confidence, c'est le pape et l'empereur Charles[3]. L'empereur Charles a commencé par entrer
105 par une assez bonne brèche dans la susdite maison. Après

---

1. **Aune :** mesure de longueur (environ 1,20 m).
2. **Montolivet :** bourg situé au sud de Florence, où se trouve l'église San
   Miniato, lieu de pèlerinage où les marchands dressent des échoppes
   autour de l'Église.
3. **Charles :** Charles Quint (1500-1558), empereur d'Allemagne, roi
   d'Espagne et de Sicile. Sacré empereur à Bologne en 1530 par Clément VII,
   il pactisa avec lui afin de remettre les Médicis à la tête de Florence.

quoi, ils ont jugé à propos de prendre une des colonnes dont je vous parle, à savoir celle de la famille des Médicis, et d'en faire un clocher, lequel clocher a poussé comme un champignon de malheur dans l'espace d'une nuit. Et puis, savez-vous, voisin ! comme l'édifice branlait au vent, attendu qu'il 110 avait la tête trop lourde et une jambe de moins, on a remplacé le pilier devenu clocher par un gros pâté informe fait de boue et de crachat, et on a appelé cela la citadelle[1]. Les Allemands se sont installés dans ce maudit trou comme des rats dans un fromage, et il est bon de savoir que, tout en 115 jouant aux dés et en buvant leur vin aigrelet, ils ont l'œil sur nous autres. Les familles florentines ont beau crier, le peuple et les marchands ont beau dire, les Médicis gouvernent au moyen de leur garnison ; ils nous dévorent comme une excroissance vénéneuse dévore un estomac malade. C'est en 120 vertu des hallebardes[2] qui se promènent sur la plate-forme, qu'un bâtard[3], une moitié de Médicis, un butor[4] que le ciel avait fait pour être garçon boucher ou valet de charrue, couche dans le lit de nos filles, boit nos bouteilles, casse nos vitres, et encore le paye-t-on pour cela. 125

LE MARCHAND. Peste ! comme vous y allez ! Vous avez l'air de savoir tout cela par cœur ; il ne ferait pas bon dire cela dans toutes les oreilles, voisin Mondella.

L'ORFÈVRE. Et quand on me bannirait comme tant d'autres ! On vit à Rome aussi bien qu'ici. Que le diable emporte la 130 noce, ceux qui y dansent et ceux qui la font !
Il rentre. Le marchand se mêle aux curieux. Passe un bourgeois avec sa femme.

---

1. **La citadelle :** fort de Basso, construit à l'initiative de Clément VII en 1534 pour donner du panache et une protection au duc.
2. **Hallebardes :** piques garnies par le haut d'un fer tranchant et de deux fers latéraux, mot d'origine allemande.
3. **Bâtard :** Alexandre, fils bâtard de Laurent de Médicis, duc d'Urbin (ou de Clément VII ?), et d'une fille de salle (mauresque ?).
4. **Butor :** oiseau de proie ; sens figuré, personne grossière et stupide.

LA FEMME. Guillaume Martelli est un bel homme, et
135 riche. C'est un bonheur pour Nicolo Nasi d'avoir un gendre
comme celui-là. Tiens ! le bal dure encore. – Regarde donc
toutes ces lumières.

LE BOURGEOIS. Et nous, notre fille, quand la marierons-
nous ?

140 **LA FEMME.** Comme tout est illuminé ! danser encore à l'heure
qu'il est, c'est là une jolie fête ! – On dit que le duc y est.

LE BOURGEOIS. Faire du jour la nuit et de la nuit le jour,
c'est un moyen commode de ne pas voir les honnêtes
gens. Une belle invention, ma foi, que des hallebardes à la
145 porte d'une noce ! Que le bon Dieu protège la ville ! Il en
sort tous les jours de nouveaux, de ces chiens d'Allemands,
de leur damnée forteresse.

LA FEMME. Regarde donc le joli masque. Ah ! la belle
robe ! Hélas ! tout cela coûte très cher, et nous sommes
150 bien pauvres à la maison.
Ils sortent.

UN SOLDAT, *au marchand.* Gare ! canaille ! laisse passer
les chevaux.

LE MARCHAND. Canaille toi-même, Allemand du diable !
155 *Le soldat le frappe de sa pique.*

LE MARCHAND, *se retirant.* Voilà comme on suit la
Capitulation[1] ! Ces gredins-là maltraitent les citoyens.
Il rentre chez lui.

L'ÉCOLIER, *à son camarade.* Vois-tu celui-là qui ôte son
160 masque ? C'est Palla Ruccellai[2]. Un fier luron ! Ce petit-là, à
côté de lui, c'est Thomas Strozzi, Masaccio[3] comme on dit.

---

1. **Capitulation :** acte de soumission de Florence à Charles Quint
(août 1530), à la suite de la prise de Florence par les troupes de Charles.
2. **Palla Ruccellai :** famille noble de Florence alliée aux Strozzi.
3. **Masaccio :** diminutif péjoratif pour Thomas (dû à sa petite taille ?) ;
voir de même « Lorenzaccio » signifiant : canaille de Laurent.

UN PAGE, *criant.* Le cheval de Son Altesse !

LE SECOND ÉCOLIER. Allons-nous-en, voilà le duc qui sort.

LE PREMIER ÉCOLIER. Crois-tu pas qu'il va te manger ?
La foule s'augmente à la porte. 165

L'ÉCOLIER. Celui-là, c'est Nicolini ; celui-là, c'est le provéditeur[1].
*Le duc sort, vêtu en religieuse, avec Julien Salviati, habillé
de même, tous deux masqués.*

LE DUC, *montant à cheval.* Viens-tu, Julien ? 170

SALVIATI. Non ! Altesse, pas encore.
Il lui parle à l'oreille.

LE DUC. Bien, bien, ferme[2] !

SALVIATI. Elle est belle comme un démon. — Laissez-moi
faire ! Si je peux me débarrasser de ma femme !... 175
Il rentre dans le bal.

LE DUC. Tu es gris, Salviati. Le diable m'emporte, tu vas
de travers.
Il part avec sa suite.

L'ÉCOLIER. Maintenant que voilà le duc parti, il n'y en a 180
pas pour longtemps.
Les masques sortent de tous côtés.

LE SECOND ÉCOLIER. Rose, vert, bleu, j'en ai plein les
yeux ; la tête me tourne.

UN BOURGEOIS. Il paraît que le souper a duré longtemps. 185
En voilà deux qui ne peuvent plus se tenir.
*Le provéditeur monte à cheval ; une bouteille cassée lui
tombe sur l'épaule.*

LE PROVÉDITEUR. Eh, ventrebleu ! quel est l'assommeur,
ici ? 190

---

1. **Provéditeur :** titre de gouvernement.
2. **Ferme :** marque l'encouragement (« courage »).

UN MASQUE. Eh ! ne le voyez-vous pas, seigneur Corsini ? Tenez ! regardez à la fenêtre ; c'est Lorenzo, avec sa robe de nonne.

LE PROVÉDITEUR. Lorenzaccio, le diable soit de toi ! Tu
195 as blessé mon cheval. *(La fenêtre se ferme.)* Peste soit de l'ivrogne et de ses farces silencieuses ! Un gredin qui n'a pas souri trois fois dans sa vie, et qui passe le temps à des espiègleries d'écolier en vacances !

Il part. – Louise Strozzi sort de la maison, accompagnée de
200 *Julien Salviati ; il lui tient l'étrier. Elle monte à cheval ; un écuyer et une gouvernante la suivent.*

SALVIATI. La jolie jambe, chère fille ! Tu es un rayon de soleil, et tu as brûlé la moelle de mes os.

LOUISE. Seigneur, ce n'est pas là le langage d'un cavalier[1].

205 **SALVIATI.** Quels yeux tu as, mon cher cœur ! quelle belle épaule à essuyer, tout humide et si fraîche ! Que faut-il te donner pour être ta caménriste[2] cette nuit ? Le joli pied à déchausser !

LOUISE. Lâche mon pied, Salviati.

210 **SALVIATI.** Non, par le corps de Bacchus[3] ! jusqu'à ce que tu m'aies dit quand nous coucherons ensemble.
Louise frappe son cheval et part au galop.

UN MASQUE, *à Salviati.* La petite Strozzi s'en va rouge comme la braise – vous l'avez fâchée, Salviati.

215 **SALVIATI.** Baste[4] ! colère de jeune fille et pluie du matin…
Il sort.

---

1. **Cavalier :** gentilhomme.
2. **Caménriste :** femme de chambre.
3. **Par le corps de Bacchus :** traduction de l'expression italienne *per bacco*, invoquant le dieu latin Bacchus, dieu du Vin et de l'Ivresse.
4. **Baste :** italianisme signifiant « il suffit ! peu importe ! »

Clefs d'analyse

Acte I, scènes 1 et 2.

Compréhension

Le cadre

- Relever les indications d'ordre visuel.
- Relever les éléments de « couleur locale » inscrits dans la présentation du cadre où se déroulent ces scènes d'exposition.

Les personnages

- Relever les informations données sur le duc et sur Lorenzo, par eux-mêmes et par les autres personnages.
- Relever les indications concernant les entrées et les sorties de personnages dans la scène 2.

Réflexion

Le déclin et la corruption

- Analyser l'importance des évocations du diable et de l'enfer.
- Analyser l'utilisation du thème du déguisement dans ces scènes.
- Montrer comment le discours de l'orfèvre traduit son indignation face à la situation de Florence.

Les tons et les registres

- Analyser le contraste entre la fonction du duc et la façon dont il s'exprime.
- Analyser le contraste entre Maffio et les autres personnages dans la première scène.
- Expliquer pourquoi l'action de la première scène peut être rapprochée du mélodrame.

À retenir :

La première scène d'une pièce de théâtre est appelée « scène d'exposition ». Elle a pour fonction d'apporter les informations essentielles au spectateur sur le sujet principal de la pièce et sur ses personnages principaux. Dans Lorenzaccio, *non seulement cette exposition est éclatée sur plusieurs scènes, mais l'intrigue principale n'est pas réellement présentée au spectateur.*

Scène 3 *Chez le marquis Cibo.*
LE MARQUIS, *en habit de voyage,*
LA MARQUISE, ASCANIO,
LE CARDINAL CIBO, *assis.*

LE MARQUIS, *embrassant son fils.* Je voudrais pouvoir
t'emmener, petit, toi et ta grande épée qui te traîne entre
les jambes. Prends patience ; Massa[1] n'est pas bien loin, et
je te rapporterai un bon cadeau.

5 **LA MARQUISE.** Adieu, Laurent ; revenez, revenez !

LE CARDINAL. Marquise, voilà des pleurs qui sont de
trop. Ne dirait-on pas que mon frère part pour la
Palestine[2] ? Il ne court pas grand danger dans ses terres, je
crois.

10 **LE MARQUIS.** Mon frère, ne dites pas de mal de ces belles
larmes.
Il embrasse sa femme.

LE CARDINAL. Je voudrais seulement que l'honnêteté
n'eût pas cette apparence.

15 **LA MARQUISE.** L'honnêteté n'a-t-elle point de larmes,
monsieur le cardinal ? Sont-elles toutes au repentir ou à la
crainte ?

LE MARQUIS. Non, par le ciel ! car les meilleures sont à
l'amour. N'essuyez pas celles-ci sur mon visage, le vent
20 s'en chargera en route ; qu'elles se sèchent lentement ! Eh
bien, ma chère, vous ne me dites rien pour vos favoris[3] ?

---

1. **Massa :** domaine familial, à env. 100 km au nord-ouest de Florence,
que Laurent Cibo reçut par son mariage avec Riccardia Malaspina,
marquise de Massa.
2. **Palestine :** destination des croisés, symbole de la terre lointaine et
dangereuse.
3. **Favoris :** personnification des éléments de la nature.

N'emporterai-je pas, comme de coutume, quelque belle harangue[1] sentimentale à faire de votre part aux roches et aux cascades de mon vieux patrimoine ?

LA MARQUISE. Ah ! mes pauvres cascatelles[2] !

LE MARQUIS. C'est la vérité, ma chère âme, elles sont toutes tristes sans vous. *(Plus bas.)* Elles ont été joyeuses autrefois, n'est-il pas vrai, Ricciarda ?

LA MARQUISE. Emmenez-moi !

LE MARQUIS. Je le ferais si j'étais fou, et je le suis presque, avec ma vieille mine de soldat. N'en parlons plus — ce sera l'affaire d'une semaine[3]. Que ma chère Ricciarda voie ses jardins quand ils sont tranquilles et solitaires ; les pieds boueux de mes fermiers ne laisseront pas de trace dans ses allées chéries. C'est à moi de compter mes vieux troncs d'arbres qui me rappellent ton père Albéric, et tous les brins d'herbe de mes bois ; les métayers et leurs bœufs, tout cela me regarde. À la première fleur que je verrai pousser, je mets tout à la porte, et je vous emmène alors.

LA MARQUISE. La première fleur de notre belle pelouse m'est toujours chère. L'hiver est si long ! Il me semble toujours que ces pauvres petites ne reviendront jamais.

ASCANIO. Quel cheval as-tu, mon père, pour t'en aller ?

LE MARQUIS. Viens avec moi dans la cour, tu le verras.
Il sort. — La marquise reste seule avec le cardinal. — Un silence.

LE CARDINAL. N'est-ce pas aujourd'hui que vous m'avez demandé d'entendre votre confession, marquise ?

---

1. **Harangue :** discours.
2. **Cascatelles :** italianisme signifiant « petite cascade ».
3. **L'affaire d'une semaine :** indication sur la durée de l'action, correspondant plus ou moins avec celle du voyage du marquis.

LA MARQUISE. Dispensez-m'en, cardinal. Ce sera pour ce
50 soir, si Votre Éminence est libre, ou demain, comme elle
voudra. — Ce moment-ci n'est pas à moi.
Elle se met à la fenêtre et fait un signe d'adieu à son mari.

LE CARDINAL. Si les regrets étaient permis à un fidèle
serviteur de Dieu, j'envierais le sort de mon frère. — Un si
55 court voyage, si simple, si tranquille ! — une visite à une
de ses terres qui n'est qu'à quelques pas d'ici ! — une
absence d'une semaine, — et tant de tristesse, une si douce
tristesse, veux-je dire, à son départ ! Heureux celui qui sait
se faire aimer ainsi après sept années de mariage ! — N'est-
60 ce pas sept années, marquise ?

LA MARQUISE. Oui, cardinal ; mon fils a six ans.

LE CARDINAL. Étiez-vous hier à la noce des Nasi ?

LA MARQUISE. Oui, j'y étais.

LE CARDINAL. Et le duc en religieuse ?

65 **LA MARQUISE.** Pourquoi le duc en religieuse ?

LE CARDINAL. On m'avait dit qu'il avait pris ce costume ;
il se peut qu'on m'ait trompé.

LA MARQUISE. Il l'avait en effet. Ah ! Malaspina[1], nous
sommes dans un triste temps pour toutes les choses saintes !

70 **LE CARDINAL.** On peut respecter les choses saintes, et,
dans un jour de folie, prendre le costume de certains cou-
vents, sans aucune intention hostile à la sainte Église
catholique.

LA MARQUISE. L'exemple est à craindre, et non l'inten-
75 tion. Je ne suis pas comme vous ; cela m'a révoltée. Il est
vrai que je ne sais pas bien ce qui se peut et ce qui ne se
peut pas, selon vos règles mystérieuses. Dieu sait où elles
mènent. Ceux qui mettent les mots sur leur enclume, et

---

1. **Malaspina :** littéralement « mauvaise épine », nom de jeune fille de la
marquise.

qui les tordent avec un marteau et une lime, ne réflé- chissent pas toujours que ces mots représentent des pen- sées, et ces pensées des actions. ₈₀

LE CARDINAL. Bon, bon ! le duc est jeune, marquise, et gageons que cet habit coquet des nonnes lui allait à ravir.

LA MARQUISE. On ne peut mieux ; il n'y manquait que quelques gouttes du sang de son cousin, Hippolyte de ₈₅ Médicis[1].

LE CARDINAL. Et le bonnet de la Liberté[2], n'est-il pas vrai, petite sœur ? Quelle haine pour ce pauvre duc !

LA MARQUISE. Et vous, son bras droit, cela vous est égal que le duc de Florence soit le préfet de Charles Quint, le ₉₀ commissaire[3] civil du pape, comme Baccio[4] est son com- missaire religieux ? Cela vous est égal, à vous, frère de mon Laurent, que notre soleil, à nous, promène sur la cita- delle des ombres allemandes ? que César[5] parle ici dans toutes les bouches ? que la débauche serve d'entremet- ₉₅ teuse à l'esclavage, et secoue ses grelots sur les sanglots du peuple ? Ah ! le clergé sonnerait au besoin toutes ses cloches pour en étouffer le bruit et pour réveiller l'aigle impérial[6], s'il s'endormait sur nos pauvres toits.
Elle sort. ₁₀₀

---

1. **Hippolyte de Médicis :** cousin d'Alexandre et fils naturel de Julien de Médicis, évincé par Clément VII du gouvernement de Florence.

2. **Bonnet de la Liberté :** anachronisme si Musset se réfère au bonnet phrygien de la Révolution française. Dans l'Antiquité, c'est le *pileus*, bonnet de l'esclave affranchi.

3. **Commissaire :** délégué qui a certaines fonctions confiées par le gou- vernement, à titre provisoire.

4. **Baccio :** Bartolomeo Valori. Il n'était cependant pas cardinal : il a rejoint les bannis à Rome en 1535 et a été exécuté une fois fait prison- nier avec Philippe Strozzi.

5. **César :** Charles Quint (titre par excellence de tous les empereurs).

6. **Aigle impérial :** emblème de l'Empire.

LE CARDINAL, *seul, soulève la tapisserie et appelle à voix basse.* Agnolo !
(Entre un page.) Quoi de nouveau aujourd'hui ?

AGNOLO. Cette lettre, monseigneur.

105 LE CARDINAL. Donne-la-moi.

AGNOLO. Hélas ! Éminence, c'est un péché.

LE CARDINAL. Rien n'est un péché quand on obéit à un prêtre de l'Église romaine.
Agnolo remet la lettre.

110 LE CARDINAL. Cela est comique d'entendre les fureurs de cette pauvre marquise, et de la voir courir à un rendez-vous d'amour avec le cher tyran, toute baignée de larmes républicaines. *(Il ouvre la lettre et lit.)* « Ou vous serez à moi, ou vous aurez fait mon malheur, le vôtre, et celui de 115 nos deux maisons. »
Le style du duc est laconique, mais il ne manque pas d'énergie. Que la marquise soit convaincue ou non, voilà le difficile à savoir. Deux mois de cour presque assidue, c'est beaucoup pour Alexandre ; ce doit être assez pour 120 Ricciarda Cibo. *(Il rend la lettre au page.)* Remets cela chez ta maîtresse ; tu es toujours muet, n'est-ce pas ? Compte sur moi.
Il lui donne sa main à baiser et sort.

Scène 4

*Une cour du palais du duc.
LE DUC ALEXANDRE sur une
terrasse ; des pages exercent
des chevaux dans la cour.
Entrent VALORI et SIRE MAURICE.*

LE DUC, *à Valori.* Votre Éminence a-t-elle reçu ce matin des nouvelles de la cour de Rome ?

VALORI. Paul III[1] envoie mille bénédictions à Votre Altesse, et fait les vœux les plus ardents pour sa prospérité.

LE DUC. Rien que des vœux, Valori ?   5

VALORI. Sa Sainteté craint que le duc ne se crée de nouveaux dangers par trop d'indulgence. Le peuple est mal habitué à la domination absolue ; et César, à son dernier voyage, en a dit autant, je crois, à Votre Altesse.

LE DUC. Voilà, pardieu, un beau cheval, sire Maurice ! 10
Eh ! quelle croupe de diable !

SIRE MAURICE. Superbe, Altesse.

LE DUC. Ainsi, monsieur le commissaire apostolique[2], il y a encore quelques mauvaises branches à élaguer. César et le pape ont fait de moi un roi ; mais, par Bacchus, ils m'ont 15
mis dans la main une espèce de sceptre qui sent la hache d'une lieue. Allons ! voyons, Valori, qu'est-ce que c'est ?

VALORI. Je suis un prêtre, Altesse ; si les paroles que mon devoir me force à vous rapporter fidèlement doivent être interprétées d'une manière aussi sévère, mon cœur me 20
défend d'y ajouter un mot.

---

1. **Paul III :** Alexandre Farnèse, élu pape en 1534, ayant succédé à Clément VII et en opposition aux Médicis.
2. **Commissaire apostolique :** agent du pape.

LE DUC. Oui, oui, je vous connais pour un brave. Vous êtes, pardieu, le seul prêtre honnête homme que j'aie vu de ma vie.

25 **VALORI.** Monseigneur, l'honnêteté ne se perd ni ne se gagne sous aucun habit, et parmi les hommes il y a plus de bons que de méchants.

LE DUC. Ainsi donc, point d'explications ?

SIRE MAURICE. Voulez-vous que je parle, monseigneur ? 30 tout est facile à expliquer.

LE DUC. Eh bien ?

SIRE MAURICE. Les désordres de la cour irritent le pape.

LE DUC. Que dis-tu là, toi ?

SIRE MAURICE. J'ai dit les désordres de la cour, Altesse ; 35 les actions du duc n'ont d'autre juge que lui-même. C'est Lorenzo de Médicis que le pape réclame comme transfuge[1] de sa justice.

LE DUC. De sa justice ? Il n'a jamais offensé de pape, à ma connaissance, que Clément VII, feu mon cousin[2], qui, à 40 cette heure, est en enfer.

SIRE MAURICE. Clément VII a laissé sortir de ses États le libertin qui, un jour d'ivresse, avait décapité les statues de l'arc de Constantin[3]. Paul III ne saurait pardonner au modèle titré[4] de la débauche florentine.

---

1. **Transfuge :** celui qui trahit sa cause ou sa patrie, ici qui a fui la justice du pape.
2. **Feu mon cousin :** Jules Médicis qui fut pape de 1523 à 1534 (Clément VII), fils naturel de Julien de Médicis, frère de Laurent le Magnifique.
3. **Arc de Constantin :** édifié par l'empereur chrétien Constantin (280-337) qui avait doté cet arc de huit statues de rois barbares, restaurées d'ailleurs en 1498 et décapitées par pure provocation par Laurent en 1534.
4. **Modèle titré :** emblème officiel, exemple reconnu (ici de la débauche à Rome).

LE DUC. Ah ! parbleu, Alexandre Farnèse est un plaisant 45
garçon ! Si la débauche l'effarouche, que diable fait-il de
son bâtard, le cher Pierre Farnèse[1], qui traite si joliment
l'évêque de Fano[2] ? Cette mutilation revient toujours sur
l'eau, à propos de ce pauvre Renzo[3]. Moi, je trouve cela
drôle, d'avoir coupé la tête à tous ces hommes de pierre. Je 50
protège les arts comme un autre, et j'ai chez moi les premiers artistes de l'Italie ; mais je n'entends rien au respect
du pape pour ces statues qu'il excommunierait demain, si
elles étaient en chair et en os.

SIRE MAURICE. Lorenzo est un athée ; il se moque de 55
tout. Si le gouvernement de Votre Altesse n'est pas
entouré d'un profond respect, il ne saurait être solide. Le
peuple appelle Lorenzo, Lorenzaccio ; on sait qu'il dirige
vos plaisirs, et cela suffit.

LE DUC. Paix ! tu oublies que Lorenzo de Médicis est cou- 60
sin d'Alexandre. *(Entre le cardinal Cibo.)* Cardinal, écoutez
un peu ces messieurs qui disent que le pape est scandalisé
des désordres de ce pauvre Renzo, et qui prétendent que
cela fait tort à mon gouvernement.

VALORI. Messire Francesco Molza[4] vient de débiter à 65
l'Académie romaine une harangue en latin contre le muti-
lateur de l'arc de Constantin.

---

1. **Pierre Farnèse :** fils naturel de Paul III, gouverneur de Parme et de
   Plaisance, débauché notoire (1490-1547).
2. **Évêque de Fano :** Cosimo Gheri da Pistoia fut assassiné après avoir
   été violé par Pierre Farnèse en 1538 (donc anachronisme ici, puisque
   ce scandale survint après la mort d'Alexandre).
3. **Renzo :** diminutif affectueux de Lorenzo, montrant le lien intime qui
   unit Alexandre à son cousin.
4. **Francesco Molza :** humaniste (1489-1544) qui avait formulé les pires
   accusations contre Lorenzo dans une harangue conservée, mais prononcée plusieurs années auparavant et non en 1536.

LE DUC. Allons donc, vous me mettriez en colère ! Renzo, un homme à craindre ! le plus fieffé[1] poltron ! une femme-
70 lette, l'ombre d'un ruffian énervé[2] ! un rêveur qui marche nuit et jour sans épée, de peur d'en apercevoir l'ombre à son côté ! d'ailleurs un philosophe[3], un gratteur de papier, un méchant poète[4] qui ne sait seulement pas faire un son-net ! Non, non, je n'ai pas encore peur des ombres. Eh !
75 corps de Bacchus ! que me font les discours latins et les quolibets de ma canaille[5] ! J'aime Lorenzo, moi, et, par la mort de Dieu ! il restera ici.

LE CARDINAL. Si je craignais cet homme, ce ne serait pas pour votre cour, ni pour Florence, mais pour vous, duc.

80 **LE DUC.** Plaisantez-vous, cardinal, et voulez-vous que je vous dise la vérité ? *(Il lui parle bas.)* Tout ce que je sais de ces damnés bannis, de tous ces républicains entêtés qui complotent autour de moi, c'est par Lorenzo que je le sais. Il est glissant comme une anguille ; il se fourre partout et
85 me dit tout. N'a-t-il pas trouvé moyen d'établir une corres-pondance avec tous ces Strozzi de l'enfer ? Oui, certes, c'est mon entremetteur ; mais croyez que son entremise, si elle nuit à quelqu'un, ne me nuira pas. Tenez ! *(Lorenzo paraît au fond d'une galerie basse.)* Regardez-moi ce petit
90 corps maigre, ce lendemain d'orgie ambulant. Regardez-moi ces yeux plombés, ces mains fluettes et maladives, à peine assez fermes pour soutenir un éventail, ce visage morne, qui sourit quelquefois, mais qui n'a pas la force de rire. C'est là un homme à craindre ? Allons, allons ! vous

---

1. **Fieffé :** marque l'intensité (familier).
2. **Ruffian énervé :** vil proxénète. Énervé a le sens de « privé de nerfs », donc de force physique et morale.
3. **Philosophe :** selon Varchi, Alexandre surnommait Lorenzo « le philo-sophe ».
4. **Méchant poète :** qui ne vaut rien.
5. **Quolibets de ma canaille :** les railleries de la populace de Florence.

vous moquez de lui. Hé ! Renzo, viens donc ici ; voilà sire 95
Maurice qui te cherche dispute.

LORENZO *monte l'escalier de la terrasse.* Bonjour, messieurs les amis de mon cousin.

LE DUC. Lorenzo, écoute ici. Voilà une heure que nous
parlons de toi. Sais-tu la nouvelle ? Mon ami, on t'excom- 100
munie en latin, et sire Maurice t'appelle un homme dangereux, le cardinal aussi ; quant au bon Valori, il est trop
honnête homme pour prononcer ton nom.

LORENZO. Pour qui dangereux, Éminence ? pour les filles
de joie, ou pour les saints du paradis ? 105

LE CARDINAL. Les chiens de cour peuvent être pris de la
rage comme les autres chiens.

LORENZO. Une insulte de prêtre doit se faire en latin.

SIRE MAURICE. Il s'en fait en toscan[1], auxquelles on peut
répondre. 110

LORENZO. Sire Maurice, je ne vous voyais pas ; excusez-
moi, j'avais le soleil dans les yeux ; mais vous avez un bon
visage, et votre habit me paraît tout neuf.

SIRE MAURICE. Comme votre esprit ; je l'ai fait faire d'un
vieux pourpoint[2] de mon grand-père. 115

LORENZO. Cousin, quand vous aurez assez de quelque
conquête des faubourgs, envoyez-la donc chez sire Maurice.
Il est malsain de vivre sans femme, pour un homme qui a,
comme lui, le cou court et les mains velues.

SIRE MAURICE. Celui qui se croit le droit de plaisanter 120
doit savoir se défendre. À votre place, je prendrais une
épée.

LORENZO. Si l'on vous a dit que j'étais un soldat, c'est une
erreur ; je suis un pauvre amant de la science.

---

1. **Toscan :** dialecte de la Toscane, la région de Florence.
2. **Pourpoint :** gilet d'homme couvrant le torse jusqu'aux hanches.

125 **SIRE MAURICE.** Votre esprit est une épée acérée, mais flexible. C'est une arme trop vile ; chacun fait usage des siennes.

Il tire son épée.

VALORI. Devant le duc, l'épée nue !

130 **LE DUC,** *riant.* Laissez faire, laissez faire. Allons, Renzo, je veux te servir de témoin – qu'on lui donne une épée !

LORENZO. Monseigneur, que dites-vous là ?

LE DUC. Eh bien ! ta gaieté s'évanouit si vite ? Tu trembles, cousin ? Fi donc ! tu fais honte au nom des Médicis. Je ne
135 suis qu'un bâtard, et je le porterais mieux que toi, qui es légitime ? Une épée, une épée ! un Médicis ne se laisse point provoquer ainsi. Pages, montez ici ; toute la cour le verra, et je voudrais que Florence entière y fût.

LORENZO. Son Altesse se rit de moi.

140 **LE DUC.** J'ai ri tout à l'heure, mais maintenant je rougis de honte. Une épée !

Il prend l'épée d'un page et la présente à Lorenzo.

VALORI. Monseigneur, c'est pousser trop loin les choses. Une épée tirée en présence de Votre Altesse est un crime
145 punissable dans l'intérieur du palais.

LE DUC. Qui parle ici, quand je parle ?

VALORI. Votre Altesse ne peut avoir eu d'autre dessein que celui de s'égayer un instant, et sire Maurice lui-même n'a point agi dans une autre pensée.

150 **LE DUC.** Et vous ne voyez pas que je plaisante encore ? Qui diable pense ici à une affaire sérieuse ? Regardez Renzo, je vous en prie ; ses genoux tremblent, il serait devenu pâle, s'il pouvait le devenir. Quelle contenance, juste Dieu ! je crois qu'il va tomber.

155 *Lorenzo chancelle ; il s'appuie sur la balustrade et glisse à terre tout d'un coup.*

LE DUC, *riant aux éclats.* Quand je vous le disais ! personne ne le sait mieux que moi ; la seule vue d'une épée

le fait trouver mal. Allons, chère Lorenzetta[1], fais-toi
emporter chez ta mère.   160
Les pages relèvent Lorenzo.

SIRE MAURICE. Double poltron ! fils de catin[2] !

LE DUC. Silence, sire Maurice, pesez vos paroles ; c'est
moi qui vous le dis maintenant. Pas de ces mots-là devant
moi.   165
Sire Maurice sort.

VALORI. *Sire Maurice et Valori sortent.* Pauvre jeune
homme !

LE CARDINAL, *resté seul avec le duc.* Vous croyez à cela,
monseigneur ?   170

LE DUC. Je voudrais bien savoir comment je n'y croirais
pas.

LE CARDINAL. Hum ! c'est bien fort.

LE DUC. C'est justement pour cela que j'y crois. Vous
figurez-vous qu'un Médicis se déshonore publiquement,   175
par partie de plaisir ? D'ailleurs, ce n'est pas la première
fois que cela lui arrive ; jamais il n'a pu voir une épée.

LE CARDINAL. C'est bien fort ! c'est bien fort !
Ils sortent.

---

1. **Lorenzetta :** diminutif féminin de Lorenzo pour souligner son manque
   de virilité.
2. **Catin :** prostituée, injure infamante (la mère de Lorenzo était pieuse et
   honorable).

Scène 5

Devant l'église de Saint-Miniato, à Montolivet¹. – La foule sort de l'église.

UNE FEMME, *à sa voisine.* Retournez-vous ce soir à Florence ?

LA VOISINE. Je ne reste jamais plus d'une heure ici, et je n'y viens jamais qu'un seul vendredi ; je ne suis pas assez
5 riche pour m'arrêter à la foire. Ce n'est pour moi qu'une affaire de dévotion, et que cela suffise pour mon salut, c'est tout ce qu'il me faut.

UNE DAME DE LA COUR, *à une autre.* Comme il a bien prêché ! c'est le confesseur de ma fille. *(Elle s'approche*
10 *d'une boutique.)* Blanc et or, cela fait bien le soir ; mais le jour, le moyen d'être propre avec cela !
Le marchand et l'orfèvre devant leurs boutiques, avec quelques cavaliers.

L'ORFÈVRE. La citadelle ! voilà ce que le peuple ne souf-
15 frira jamais. Voir tout d'un coup s'élever sur la ville cette nouvelle tour de Babel², au milieu du plus maudit baragouin³ ! les Allemands ne pousseront jamais à Florence, et pour les y greffer, il faudra un vigoureux lien.

LE MARCHAND. Voyez, mesdames ; que Vos Seigneuries
20 acceptent un tabouret sous mon auvent.

---

1. **Montolivet :** « On allait à Montolivet tous les vendredis de certains mois ; c'était à Florence ce que Longchamp était autrefois à Paris. Les marchands y trouvaient l'occasion d'une foire et y transportaient leurs boutiques » (note de Musset).
2. **La tour de Babel :** symbole biblique de la discorde entre les peuples, due à la diversité des langues.
3. **Baragouin :** langage dans lequel les mots sont incompréhensibles.

UN CAVALIER. Tu es du vieux sang florentin, père Mondella ; la haine de la tyrannie fait encore trembler tes doigts sur tes ciselures précieuses, au fond de ton cabinet de travail.

L'ORFÈVRE. C'est vrai, Excellence. Si j'étais un grand artiste, j'aimerais les princes, parce qu'eux seuls peuvent faire entreprendre de grands travaux. Les grands artistes n'ont pas de patrie. Moi, je fais des saints ciboires[1] et des poignées d'épée.

UN AUTRE CAVALIER. À propos d'artiste, ne voyez-vous pas dans ce petit cabaret ce grand gaillard qui gesticule devant des badauds ? Il frappe son verre sur la table ; si je ne me trompe, c'est ce hâbleur[2] de Cellini[3].

LE PREMIER CAVALIER. Allons-y donc, et entrons ; avec un verre de vin dans la tête, il est curieux à entendre, et probablement quelque bonne histoire est en train.
Ils sortent. – Deux bourgeois s'assoient.

PREMIER BOURGEOIS. Il y a eu une émeute à Florence ?

DEUXIÈME BOURGEOIS. Presque rien. – Quelques pauvres jeunes gens ont été tués[4] sur le Vieux-Marché.

PREMIER BOURGEOIS. Quelle pitié pour les familles !

DEUXIÈME BOURGEOIS. Voilà des malheurs inévitables. Que voulez-vous que fasse la jeunesse sous un gouvernement comme le nôtre ? On vient crier à son de trompe que César est à Bologne, et les badauds répètent : « César est à Bologne », en clignant des yeux d'un air d'importance,

---

1. **Ciboires :** vases dans lesquels on conserve les hosties consacrées.
2. **Hâbleur :** vantard.
3. **Cellini :** Benvenuto Cellini (1500-1571), sculpteur, ciseleur, médailliste, a laissé des *Mémoires*.
4. **Quelques pauvres jeunes gens ont été tués :** évoque indirectement les morts des émeutes de juillet 1830 à Paris, ou encore ceux du cloître Saint-Merry en 1832.

sans réfléchir à ce qu'on y fait. Le jour suivant, ils sont plus heureux encore d'apprendre et de répéter : « Le pape est à Bologne avec César[1]. » Que s'ensuit-il ? Une réjouis-
50 sance publique. Ils n'en voient pas davantage ; et puis un beau matin ils se réveillent tout endormis des fumées du vin impérial, et ils voient une figure sinistre à la grande fenêtre du palais des Pazzi[2]. Ils demandent quel est ce personnage, et on leur répond que c'est leur roi. Le pape et
55 l'empereur sont accouchés d'un bâtard qui a droit de vie et de mort sur nos enfants, et qui ne pourrait pas nommer sa mère.

L'ORFÈVRE, *s'approchant.* Vous parlez en patriote, ami ; je vous conseille de prendre garde à ce flandrin[3].
60 *Passe un officier allemand.*

L'OFFICIER. Ôtez-vous de là, messieurs ; des dames veulent s'asseoir.
Deux dames de la cour entrent et s'assoient.

PREMIÈRE DAME. Cela est de Venise ?

65 **LE MARCHAND.** Oui, magnifique Seigneurie ; vous en lèverai-je quelques aunes ?

PREMIÈRE DAME. Si tu veux. J'ai cru voir passer Julien Salviati.

L'OFFICIER. Il va et vient à la porte de l'église ; c'est un
70 galant[4].

DEUXIÈME DAME. C'est un insolent. Montrez-moi des bas de soie.

---

1. **À Bologne avec César :** rappel de l'alliance entre Clément VII et Charles Quint pour réprimer la révolte républicaine de 1527-1530.
2. **Palais des Pazzi :** en 1478, la conjuration des Pazzi dirigée contre les Médicis fut réprimée dans le sang. Elle avait fait l'objet d'une tragédie sous la plume de Alfieri (1749-1803), que Musset connaissait.
3. **Flandrin :** de Flandre, par extension : homme grand, maigre et longiligne.
4. **Galant :** séducteur.

L'OFFICIER. Il n'y en aura pas d'assez petits pour vous.

PREMIÈRE DAME. Laissez donc, vous ne savez que dire. Puisque vous voyez Julien, allez lui dire que j'ai à lui parler. 75

L'OFFICIER. J'y vais et je le ramène.
Il sort.

PREMIÈRE DAME. Il est bête à faire plaisir, ton officier ; que peux-tu faire de cela ?

DEUXIÈME DAME. Tu sauras qu'il n'y a rien de mieux 80 que cet homme-là.
Elles s'éloignent. – Entre le prieur[1] de Capoue.

LE PRIEUR. Donnez-moi un verre de limonade, brave homme.
Il s'assoit. 85

UN DES BOURGEOIS. Voilà le prieur de Capoue ; c'est là un patriote !
Les deux bourgeois se rassoient.

LE PRIEUR. Vous venez de l'église, messieurs ? que dites-vous du sermon ? 90

LE BOURGEOIS. Il était beau, seigneur prieur.

DEUXIÈME BOURGEOIS, *à l'orfèvre.* Cette noblesse des Strozzi est chère au peuple, parce qu'elle n'est pas fière. N'est-il pas agréable de voir un grand seigneur adresser librement la parole à ses voisins d'une manière affable ? 95 Tout cela fait plus qu'on ne pense.

LE PRIEUR. S'il faut parler franchement, j'ai trouvé le sermon trop beau. J'ai prêché quelquefois, et je n'ai jamais tiré grande gloire du tremblement des vitres. Mais une petite larme sur la joue d'un brave homme m'a toujours été d'un grand prix. 100
Entre Salviati.

---

1. **Prieur :** supérieur dans certains ordres religieux, notamment l'ordre de Malte auquel appartient Léon Strozzi. Désigne aussi de hauts magistrats dans les républiques italiennes.

SALVIATI. On m'a dit qu'il y avait ici des femmes qui me demandaient tout à l'heure. Mais je ne vois de robe ici que la vôtre, prieur. Est-ce que je me trompe ?

105 **LE MARCHAND.** Excellence, on ne vous a pas trompé. Elles se sont éloignées ; mais je pense qu'elles vont revenir. Voilà dix aunes d'étoffes et quatre paires de bas pour elles.

SALVIATI, *s'asseyant.* Voilà une jolie femme qui passe. 110 – Où diable l'ai-je donc vue ? – Ah ! parbleu, c'est dans mon lit.

LE PRIEUR, *au bourgeois.* Je crois avoir vu votre signature sur une lettre adressée au duc.

LE BOURGEOIS. Je le dis tout haut. C'est la supplique 115 adressée par les bannis.

LE PRIEUR. En avez-vous dans votre famille ?

LE BOURGEOIS. Deux, Excellence, mon père et mon oncle. il n'y a plus que moi d'homme à la maison.

LE DEUXIÈME BOURGEOIS, *à l'orfèvre.* Comme ce 120 Salviati a une méchante langue !

L'ORFÈVRE. Cela n'est pas étonnant ; un homme à moitié ruiné, vivant des générosités de ces Médicis, et marié comme il l'est à une femme déshonorée partout ! Il voudrait qu'on dît de toutes les femmes ce qu'on dit de la 125 sienne.

SALVIATI. N'est-ce pas Louise Strozzi qui passe sur ce tertre[1] ?

LE MARCHAND. Elle-même, Seigneurie. Peu de dames de notre noblesse me sont inconnues. Si je ne me trompe, elle 130 donne la main à sa sœur cadette.

---

1. **Tertre :** petit monticule de terre.

SALVIATI. J'ai rencontré cette Louise la nuit dernière au bal des Nasi. Elle a, ma foi, une jolie jambe, et nous devons coucher ensemble au premier jour[1].

LE PRIEUR, *se retournant.* Comment l'entendez-vous ?

SALVIATI. Cela est clair, elle me l'a dit. Je lui tenais l'étrier, 135 ne pensant guère à malice ; je ne sais par quelle distraction je lui pris la jambe, et voilà comme tout est venu.

LE PRIEUR. Julien, je ne sais pas si tu sais que c'est de ma sœur que tu parles.

SALVIATI. Je le sais très bien ; toutes les femmes sont faites 140 pour coucher avec les hommes, et ta sœur peut bien coucher avec moi.

LE PRIEUR *se lève.* Vous dois-je quelque chose, brave homme ?
Il jette une pièce de monnaie sur la table, et sort. 145

SALVIATI. J'aime beaucoup ce brave prieur, à qui un propos sur sa sœur a fait oublier le reste de son argent. Ne dirait-on pas que toute la vertu de Florence s'est réfugiée chez ces Strozzi ? Le voilà qui se retourne. Écarquille les yeux tant que tu voudras, tu ne me feras pas peur. 150
Il sort.

Scène 6 *Le bord de l'Arno[2].*
MARIE SODERINI, CATHERINE.

CATHERINE. Le soleil commence à baisser. De larges bandes de pourpre traversent le feuillage, et la grenouille fait sonner sous les roseaux sa petite cloche de cristal. C'est une singulière chose que toutes les harmonies du soir avec le bruit lointain de cette ville. 5

---

1. **Au premier jour :** échange vif qui se trouve dans le texte de Varchi, que Musset suit presque à la lettre.
2. **Arno :** fleuve qui coule à Florence.

MARIE. Il est temps de rentrer ; noue ton voile autour de ton cou.

CATHERINE. Pas encore, à moins que vous n'ayez froid. Regardez, ma mère chérie[1] : que le ciel est beau ! Que tout cela est vaste et tranquille ! Comme Dieu est partout ! Mais vous baissez la tête ; vous êtes inquiète depuis ce matin.

MARIE. Inquiète, non, mais affligée. N'as-tu pas entendu répéter cette fatale histoire de Lorenzo ? Le voilà la fable de Florence.

CATHERINE. Ô ma mère ! la lâcheté n'est point un crime, le courage n'est pas une vertu ; pourquoi la faiblesse serait-elle blâmable ? Répondre des battements de son cœur est un triste privilège ; Dieu seul peut le rendre noble et digne d'admiration. Et pourquoi cet enfant n'aurait-il pas le droit que nous avons toutes, nous autres femmes ? Une femme qui n'a peur de rien n'est pas aimable, dit-on.

MARIE. Aimerais-tu un homme qui a peur ? Tu rougis, Catherine ; Lorenzo est ton neveu, tu ne peux pas l'aimer ; mais figure-toi qu'il s'appelle de tout autre nom, qu'en penserais-tu ? Quelle femme voudrait s'appuyer sur son bras pour monter à cheval ? Quel homme lui serrerait la main ?

CATHERINE. Cela est triste, et cependant ce n'est pas de cela que je le plains. Son cœur n'est peut-être pas celui d'un Médicis ; mais, hélas ! c'est encore moins celui d'un honnête homme.

MARIE. N'en parlons pas, Catherine – il est assez cruel pour une mère de ne pouvoir parler de son fils.

---

1. **Mère chérie :** « Catherine Ginori est belle-sœur de Marie ; elle lui donne le nom de mère parce qu'il y a entre elles une différence d'âge très grande ; Catherine n'a guère que vingt-deux ans » (note de Musset).

CATHERINE. Ah ! cette Florence ! C'est là qu'on l'a perdu ! N'ai-je pas vu briller quelquefois dans ses yeux le feu d'une noble ambition ? Sa jeunesse n'a-t-elle pas été l'aurore d'un soleil levant ? Et souvent encore aujourd'hui il me semble qu'un éclair rapide... Je me dis malgré moi que tout n'est pas mort en lui.

MARIE. Ah ! tout cela est un abîme ! Tant de facilité, un si doux amour de la solitude ! Ce ne sera jamais un guerrier que mon Renzo, disais-je en le voyant rentrer de son collège, tout baigné de sueur, avec ses gros livres sous le bras ; mais un saint amour de la vérité brillait sur ses lèvres et dans ses yeux noirs ; il lui fallait s'inquiéter de tout, dire sans cesse : « Celui-là est pauvre, celui-là est ruiné ; comment faire ? » Et cette admiration pour les grands hommes de son Plutarque[1] ! Catherine, Catherine, que de fois je l'ai baisé au front en pensant au père de la patrie[2] !

CATHERINE. Ne vous affligez pas.

MARIE. Je dis que je ne veux pas parler de lui, et j'en parle sans cesse. Il y a de certaines choses, vois-tu, les mères ne s'en taisent que dans le silence éternel. Que mon fils eût été un débauché vulgaire, que le sang des Soderini[3] eût été pâle dans cette faible goutte tombée de mes veines, je ne me désespérerais pas ; mais j'ai espéré et j'ai eu raison de le faire. Ah ! Catherine, il n'est même plus beau ; comme une fumée malfaisante, la souillure de son cœur lui est montée au visage. Le sourire, ce doux épanouissement qui rend la jeunesse semblable aux fleurs,

---

1. **Plutarque :** moraliste et historien grec, auteur des *Vies parallèles des hommes illustres* (v. 46-49, v. 125 apr. J.-C.).
2. **Père de la patrie :** surnom de Côme l'Ancien (1389-1464), arrière-grand-oncle de Lorenzo, fondateur de la dynastie Médicis.
3. **Soderini :** très honorable famille maternelle de Lorenzo, qui dirigea Florence durant l'exil des Médicis (1502-1512).

s'est enfui de ses joues couleur de soufre, pour y laisser grommeler une ironie ignoble et le mépris de tout.

65 **CATHERINE.** Il est encore beau quelquefois dans sa mélancolie étrange.

MARIE. Sa naissance ne l'appelait-elle pas au trône[1] ? N'aurait-il pas pu y faire monter un jour avec lui la science d'un docteur[2], la plus belle jeunesse du monde, et 70 couronner d'un diadème d'or tous mes songes chéris ? Ne devais-je pas m'attendre à cela ? Ah ! Cattina[3], pour dormir tranquille, il faut n'avoir jamais fait certains rêves. Cela est trop cruel d'avoir vécu dans un palais de fées, où murmuraient les cantiques des anges, de s'y être endor-75 mie, bercée par son fils, et de se réveiller dans une masure ensanglantée, pleine de débris d'orgie et de restes humains, dans les bras d'un spectre hideux qui vous tue en vous appelant encore du nom de mère.

CATHERINE. Des ombres silencieuses commencent à 80 marcher sur la route. Rentrons, Marie, tous ces bannis me font peur.

MARIE. Pauvres gens ! Ils ne doivent que faire pitié ! Ah ! ne puis-je voir un seul objet qu'il ne m'entre une épine dans le cœur ? Ne puis-je plus ouvrir les yeux ? Hélas ! ma 85 Cattina, ceci est encore l'ouvrage de Lorenzo. Tous ces pauvres bourgeois ont eu confiance en lui ; il n'en est pas un parmi tous ces pères de famille chassés de leur patrie, que mon fils n'ait trahi. Leurs lettres, signées de leurs noms, sont montrées au duc. C'est ainsi qu'il fait tourner à un infâme usage 90 jusqu'à la glorieuse mémoire de ses aïeux. Les républicains

---

1. **Au trône :** Lorenzo, comme descendant de la branche cadette des Médicis, pouvait prétendre plus légitimement au gouvernement de Florence qu'Alexandre, issu de la branche aînée, mais bâtard.
2. **Docteur :** savant.
3. **Cattina :** diminutif italien de Catterina.

s'adressent à lui comme à l'antique rejeton[1] de leur protec-
teur ; sa maison leur est ouverte, les Strozzi eux-mêmes y
viennent. Pauvre Philippe ! Il y aura une triste fin pour tes
cheveux gris ! Ah ! ne puis-je voir une fille sans pudeur, un
malheureux privé de sa famille, sans que tout cela me crie : ⁹⁵
Tu es la mère de nos malheurs ! Quand serai-je là[2] ?
Elle frappe la terre.

CATHERINE. Ma pauvre mère, vos larmes se gagnent.
*Elles s'éloignent. — Le soleil est couché. — Un groupe de ban-
nis se forme au milieu d'un champ.* ¹⁰⁰

UN DES BANNIS. Où allez-vous ?

UN AUTRE. À Pise ; et vous ?

LE PREMIER. À Rome.

UN AUTRE. Et moi à Venise ; en voilà deux qui vont à
Ferrare. Que deviendrons-nous ainsi éloignés les uns des ¹⁰⁵
autres ?

UN QUATRIÈME. Adieu, voisin, à des temps meilleurs.
Il s'en va.

LE SECOND. Adieu ; pour nous, nous pouvons aller
ensemble jusqu'à la croix de la Vierge. ¹¹⁰
Il sort avec un autre. — Arrive Maffio.

LE PREMIER BANNI. C'est toi, Maffio ? Par quel hasard
es-tu ici ?

MAFFIO. Je suis des vôtres. Vous saurez que le duc a
enlevé ma sœur. J'ai tiré l'épée ; une espèce de tigre avec ¹¹⁵
des membres de fer s'est jeté à mon cou et m'a désarmé.
Après quoi j'ai reçu l'ordre de sortir de la ville, et une
bourse à moitié pleine de ducats.

LE SECOND BANNI. Et ta sœur, où est-elle ?

---

1. **Antique rejeton :** descendant d'une ancienne lignée.
2. **Quand serai-je là :** quand serai-je morte ? Aspiration morbide qui
   hante aussi Lorenzo.

₁₂₀ **MAFFIO.** On me l'a montrée ce soir sortant du spectacle dans une robe comme n'en a pas l'impératrice ; que Dieu lui pardonne ! Une vieille l'accompagnait, qui a laissé trois de ses dents à la sortie. Jamais je n'ai donné de ma vie un coup de poing qui m'ait fait ce plaisir-là.

₁₂₅ **LE TROISIÈME BANNI.** Qu'ils crèvent tous dans leur fange crapuleuse[1], et nous mourrons contents.

LE QUATRIÈME. Philippe Strozzi nous écrira à Venise ; quelque jour nous serons tous étonnés de trouver une armée à nos ordres.

₁₃₀ **LE TROISIÈME.** Que Philippe vive longtemps ! Tant qu'il y aura un cheveu sur sa tête, la liberté de l'Italie n'est pas morte.

Une partie du groupe se détache ; tous les bannis s'embrassent.

UNE VOIX. À des temps meilleurs !

₁₃₅ **UNE AUTRE.** À des temps meilleurs !

Deux bannis montent sur une plate-forme d'où l'on découvre la ville.

LE PREMIER. Adieu, Florence, peste de l'Italie[2] ; adieu, mère stérile, qui n'as plus de lait pour tes enfants.

₁₄₀ **LE SECOND.** Adieu, Florence la bâtarde, spectre hideux de l'antique Florence ; adieu, fange sans nom !

TOUS LES BANNIS. Adieu, Florence ! maudites soient les mamelles de tes femmes ! maudits soient tes sanglots ! maudites les prières de tes églises, le pain de tes blés, l'air ₁₄₅ de tes rues ! Malédiction sur la dernière goutte de ton sang corrompu !

---

1. **Fange crapuleuse :** boue, souillure de la débauche (latinisme : *crapula*, « ivresse »).
2. **Florence, peste de l'Italie :** thème de la malédiction de Florence, leit-motiv de la pièce.

Clefs d'analyse

Acte I, scènes 5 et 6.

Compréhension

Le cadre

- Relever les termes qui se rapportent à la ville et à ses bâtiments.
- Relever les termes qui renvoient à la diversité des catégories sociales.

Le dialogue

- Relever les passages dans lesquels les répliques successives ne se répondent pas les unes aux autres (I, 5).
- Relever les didascalies qui indiquent à quels personnages s'adressent les locuteurs (I, 5).

Réflexion

Les variations de tons et de registres

- Analyser les effets produits par l'entremêlement de discours qui présentent des objets et des tons hétérogènes.
- Analyser l'effet produit par la succession d'apartés et de paroles destinées à l'assemblée.
- Analyser l'effet produit par la succession des deux scènes.

Les tropes

- Analyser les tropes qui désignent Florence.
- Montrer comment ces tropes font de Florence un sujet central de la pièce.

À retenir :

Le burlesque consiste en un traitement décalé, souvent grossier, d'un sujet élégant. Par extension, ce terme désigne tout comique de décalage. Le romantisme, qui mêle grotesque et sublime et se donne pour but de montrer réunis les composantes sociales et les caractères, y a souvent recours.

Synthèse <small>Acte I</small>

La ville et le tyran

Personnages

Florence et le tyran Alexandre

Les trois intrigues qui vont se succéder dans la pièce sont à peine suggérées. Le personnage éponyme de Lorenzo reste profondément mystérieux. Il apparaît comme un débauché, et ses projets sont peu perceptibles. Le personnage du duc Alexandre est le premier à intervenir. Ce qui semble naturel, car c'est lui qui, par la suite, va être le point de mire de toutes les intrigues. Son langage et le rapt d'une jeune fille commis dès la scène d'ouverture sont les indices que « quelque chose est pourri » dans l'ancienne république de Florence, pour paraphraser Shakespeare, dont Hamlet est une figure proche de Lorenzo. La suite du premier acte est un état des lieux, assez désastreux, de Florence. La débauche de son maître est en adéquation avec la vanité de ses marchands et avec sa déchéance, au moment où elle est occupée par les troupes de l'empereur Charles Quint.

Langage

Le rôle des didascalies

Lorenzaccio est une pièce « dans un fauteuil », conçue pour la lecture. Les didascalies font dès lors, plus que dans les autres pièces de théâtre, partie intégrante du texte, et sont indispensables à sa bonne compréhension : elles doivent donner à voir tout ce que l'absence de représentation laisse à l'imagination. Ce sont elles qui révèlent la structure en tableaux de la pièce. Bien que Musset ait conservé la terminologie classique de « scène », ce sont davantage la succession des décors et les entrées et les sorties des personnages qui rythment la pièce. Or ces tableaux ne correspondent pas au découpage en scènes (2). La didascalie la plus significative est cependant la première, c'est-à-dire la liste des personnages. Celle-ci ne suit pas l'ordre canonique, qui prévoit de placer en tête les personnages principaux. Dans *Lorenzaccio*, la hiérarchie de la liste est sociale. Le drame politique est déjà en place dans ce microcosme qu'est la société florentine.

Société

> *La république bourgeoise de 1830 et la Florence marchande de 1537*

Les marchands ne sont pas seulement des témoins de la diversité du monde, dont la représentation est chère aux dramaturges romantiques. Leur rôle, déterminant et en plein essor dans la Florence du XVIe siècle gouvernée par une famille de banquiers anoblis, les Médicis, permet une critique de la société et du pouvoir des années 1830. Comme Florence, dirigée par le conseil des Huit, qui rassemble des personnages choisis sur la base de leur fortune, la France des années 1830 est dirigée par des grands bourgeois. Même si le sens de ce terme a évolué depuis la Renaissance, Musset joue volontairement sur l'ambiguïté pour établir un parallèle avec son époque. Seuls les plus riches peuvent voter : c'est le système du vote censitaire. La banque connaît, de plus, un essor sans précédent et se mêle intimement à la politique : le banquier Jacques Laffitte est l'un des ministres de Louis-Philippe. La classe montante est celle de la bourgeoisie commerçante et industrielle, que Balzac évoque amplement dans *La Comédie humaine*.

ACTE II

Scène 1[1] *Chez les Strozzi.*

PHILIPPE *dans son cabinet.* Dix citoyens bannis dans ce quartier-ci seulement ! le vieux Galeazzo et le petit Maffio bannis, sa sœur corrompue, devenue une fille publique en une nuit ! Pauvre petite ! Quand l'éducation des basses classes sera-t-elle assez forte pour empêcher les petites filles ⁵ de rire lorsque leurs parents pleurent ! La corruption est-elle donc une loi de nature ? Ce qu'on appelle la vertu, est-ce donc l'habit du dimanche qu'on met pour aller à la messe ? Le reste de la semaine, on est à la croisée[2], et, tout en tricotant, on regarde les jeunes gens passer. Pauvre ¹⁰ humanité ! Quel nom portes-tu donc ? celui de ta race, ou celui de ton baptême[3] ? Et nous autres vieux rêveurs, quelle tache originelle avons-nous lavée sur la face humaine depuis quatre ou cinq mille ans que nous jaunissons avec nos livres[4] ? qu'il t'est facile à toi, dans le silence ¹⁵ du cabinet, de tracer d'une main légère une ligne mince et pure comme un cheveu sur ce papier blanc ! qu'il t'est facile de bâtir des palais et des villes avec ce petit compas et un peu d'encre ! Mais l'architecte qui a dans son pupitre des milliers de plans admirables ne peut soulever de terre ²⁰ le premier pavé de son édifice, quand il vient se mettre à l'ouvrage avec son dos voûté et ses idées obstinées. Que le bonheur des hommes ne soit qu'un rêve, cela est pourtant dur ; que le mal soit irrévocable, éternel, impossible à changer… non ! Pourquoi le philosophe qui travaille pour ²⁵

---

1. **Scène 1 :** scène qui ne figure pas chez Varchi ; Musset semble s'être inspiré des *Mémoires* de Cellini.
2. **Croisée :** fenêtre.
3. **De ton baptême :** l'humanité semble définitivement souillée par le péché originel, selon Philippe Strozzi.
4. **Avec nos livres :** scepticisme exprimé par Lorenzo comme par Philippe quant au pouvoir de la pensée.

tous regarde-t-il autour de lui ? Voilà le tort. Le moindre insecte qui passe devant ses yeux lui cache le soleil. Allons-y donc plus hardiment ! la république, il nous faut ce mot-là. Et quand ce ne serait qu'un mot, c'est quelque
30 chose, puisque les peuples se lèvent quand il traverse l'air[1]… Ah ! bonjour, Léon.
Entre le prieur de Capoue.

LE PRIEUR. Je viens de la foire de Montolivet.

PHILIPPE. Était-ce beau ? Te voilà aussi, Pierre ? Assieds-
35 toi donc ; j'ai à te parler.
Entre Pierre Strozzi.

LE PRIEUR. C'était très beau, et je me suis assez amusé, sauf certaine contrariété un peu trop forte que j'ai quelque peine à digérer.

40 **PIERRE.** Bah ! qu'est-ce donc ?

LE PRIEUR. Figurez-vous que j'étais entré dans une boutique pour prendre un verre de limonade… Mais non, cela est inutile… je suis un sot de m'en souvenir.

PHILIPPE. Que diable as-tu sur le cœur ? tu parles
45 comme une âme en peine.

LE PRIEUR. Ce n'est rien, un méchant propos, rien de plus. Il n'y a aucune importance à attacher à tout cela.

PIERRE. Un propos ? sur qui ? sur toi ?

LE PRIEUR. Non pas sur moi précisément. Je me soucie-
50 rais bien d'un propos sur moi.

PIERRE. Sur qui donc ? Allons, parle, si tu veux.

LE PRIEUR. J'ai tort ; on ne se souvient pas de ces choses-là quand on sait la différence d'un honnête homme à un Salviati.

---

1. **Traverse l'air :** dans son *Roman par lettres* inachevé (1832) Musset reprenait déjà l'expression pour la liberté : « Oui, la liberté ! Il faut bien que ce mot soit quelque chose puisque voilà cinq mille ans que les peuples s'enivrent quand il traverse l'air. »

PIERRE. Salviati ? Qu'a dit cette canaille ?

LE PRIEUR. C'est un misérable, tu as raison. Qu'importe ce ⁵⁵
qu'il peut dire ? Un homme sans pudeur, un valet de cour, qui,
à ce qu'on raconte, a pour femme la plus grande dévergondée !
Allons, voilà qui est fait, je n'y penserai pas davantage.

PIERRE. Penses-y et parle, Léon ; c'est-à-dire que cela me
démange de lui couper les oreilles. De qui a-t-il médit ? De ⁶⁰
nous ? de mon père ? Ah ! sang du Christ, je ne l'aime
guère, ce Salviati. Il faut que je sache cela, entends-tu ?

LE PRIEUR. Si tu y tiens, je te le dirai. Il s'est exprimé
devant moi, dans une boutique, d'une manière vraiment
offensante sur le compte de notre sœur. ⁶⁵

PIERRE. Ô mon Dieu ! Dans quels termes ? Allons ! parle
donc !

LE PRIEUR. Dans les termes les plus grossiers.

PIERRE. Diable de prêtre que tu es ! tu me vois hors de
moi d'impatience, et tu cherches tes mots ! Dis les choses ⁷⁰
comme elles sont, parbleu ! un mot est un mot ; il n'y a
pas de bon Dieu qui tienne.

PHILIPPE. Pierre, Pierre ! tu manques à ton frère[1].

LE PRIEUR. Il a dit qu'il coucherait avec elle, voilà son
mot, et qu'elle le lui avait promis. ⁷⁵

PIERRE. Qu'elle couch... Ah ! mort de mort, de mille
morts ! Quelle heure est-il ?

PHILIPPE. Où vas-tu ? Allons, es-tu fait de salpêtre[2] ?
Qu'as-tu à faire de cette épée ? tu en as une au côté.

PIERRE. Je n'ai rien à faire ; allons dîner, le dîner est servi. ⁸⁰
Ils sortent.

---

1. **Tu manques à ton frère :** tu manques de respect à ton frère.
2. **Salpêtre :** composante de la poudre à canon. Familièrement et de
   manière figurée, « être fait de salpêtre » signifie « être prompt à
   s'enflammer, à s'emporter ».

Scène 2 *Le portail d'une église.*
Entrent LORENZO *et* VALORI.

VALORI. Comment se fait-il que le duc n'y vienne pas ?
Ah ! monsieur, quelle satisfaction pour un chrétien que
ces pompes magnifiques[1] de l'Église romaine ! Quel
homme pourrait y être insensible ? L'artiste ne trouve-t-il
5 pas là le paradis de son cœur ? Le guerrier, le prêtre et le
marchand n'y rencontrent-ils pas tout ce qu'ils aiment ?
Cette admirable harmonie des orgues, ces tentures écla-
tantes de velours et de tapisseries, ces tableaux des premiers maîtres, les parfums tièdes et suaves que balancent
10 les encensoirs[2], et les chants délicieux de ces voix argen-
tines, tout cela peut choquer, par son ensemble mondain[3],
le moine sévère et ennemi du plaisir. Mais rien n'est plus
beau, selon moi, qu'une religion qui se fait aimer par de
pareils moyens. Pourquoi les prêtres voudraient-ils servir
15 un Dieu jaloux[4] ? La religion n'est pas un oiseau de proie ;
c'est une colombe compatissante qui plane doucement sur
tous les rêves et sur tous les amours.

LORENZO. Sans doute ; ce que vous dites là est parfaitement vrai, et parfaitement faux, comme tout au monde.

TEBALDEO FRECCIA[5], *s'approchant de Valori.*
Ah ! monseigneur, qu'il est doux de voir un homme tel
20 que Votre Éminence parler ainsi de la tolérance et de
l'enthousiasme sacré ! Pardonnez à un citoyen obscur, qui

---

1. **Pompes magnifiques :** apparat de grand faste, typique de l'admiration
   pour la magnificence du culte tant admirée du XIVᵉ au XIXᵉ siècle.
2. **Encensoirs :** dans le culte catholique, petits récipients suspendus à
   des chaînettes, où l'on brûle de l'encens.
3. **Mondain :** relatif au monde du siècle, par opposition au monde religieux.
4. **Dieu jaloux :** allusion au Dieu de l'Ancien Testament, exigeant et jaloux.
5. **Tebaldeo Freccia :** personnage inventé par Musset : chez Varchi,
   Freccia est un serviteur de Lorenzo.

brûle de ce feu divin, de vous remercier de ce peu de paroles que je viens d'entendre. Trouver sur les lèvres d'un honnête homme ce qu'on a soi-même dans le cœur, c'est le plus grand des bonheurs qu'on puisse désirer.   25

VALORI. N'êtes-vous pas le petit Freccia ?

TEBALDEO. Mes ouvrages ont peu de mérite ; je sais mieux aimer les arts que je ne sais les exercer. Ma jeunesse tout entière s'est passée dans les églises. Il me semble que je ne puis admirer ailleurs Raphaël[1] et notre divin   30
Buonarroti[2]. Je demeure alors durant des journées devant leurs ouvrages, dans une extase[3] sans égale. Le chant de l'orgue me révèle leur pensée, et me fait pénétrer dans leur âme ; je regarde les personnages de leurs tableaux si saintement agenouillés, et j'écoute, comme si les can-   35
tiques du chœur sortaient de leurs bouches entrouvertes. Des bouffées d'encens aromatique passent entre eux et moi dans une vapeur légère. Je crois y voir la gloire de l'artiste ; c'est aussi une triste et douce fumée, et qui ne serait qu'un parfum stérile si elle ne montait à Dieu.   40

VALORI. Vous êtes un vrai cœur d'artiste ; venez à mon palais, et ayez quelque chose sous votre manteau quand vous y viendrez. Je veux que vous travailliez pour moi.

TEBALDEO. C'est trop d'honneur que me fait Votre Éminence. Je suis un desservant[4] bien humble de la sainte   45
religion de la peinture.

LORENZO. Pourquoi remettre vos offres de service ? Vous avez, il me semble, un cadre dans les mains.

---

1. **Raphaël** : artiste italien (1483-1520) qui travailla à Florence avant de devenir le peintre et l'architecte officiel des papes Jules II et Léon X.
2. **Buonarroti** : nom de famille de Michel-Ange (1475-1564), peintre qui a travaillé à Florence pour les Médicis avant de partir à Rome (1534).
3. **Extase** : action d'être hors de soi, en transe mystique.
4. **Desservant** : serviteur (religieux).

TEBALDEO. Il est vrai ; mais je n'ose le montrer à de si
50 grands connaisseurs. C'est une esquisse bien pauvre d'un
rêve magnifique.

LORENZO. Vous faites le portrait de vos rêves ? Je ferai
poser pour vous quelques-uns des miens.

TEBALDEO. Réaliser des rêves, voilà la vie du peintre. Les
55 plus grands ont représenté les leurs dans toute leur force,
et sans y rien changer. Leur imagination était un arbre
plein de sève ; les bourgeons s'y métamorphosaient sans
peine en fleurs, et les fleurs en fruits ; bientôt ces fruits
mûrissaient à un soleil bienfaisant, et, quand ils étaient
60 mûrs, ils se détachaient d'eux-mêmes et tombaient sur la
terre, sans perdre un seul grain de leur poussière virginale.
Hélas ! les rêves des artistes médiocres sont des plantes
difficiles à nourrir, et qu'on arrose de larmes bien amères
pour les faire bien peu prospérer.
65 *Il montre son tableau.*

VALORI. Sans compliment : cela est beau — non pas du premier mérite, il est vrai — pourquoi flatterais-je un homme
qui ne se flatte pas lui-même ? Mais votre barbe n'est pas
encore poussée, jeune homme.

70 **LORENZO.** Est-ce un paysage ou un portrait ? De quel
côté faut-il le regarder, en long ou en large ?

TEBALDEO. Votre Seigneurie se rit de moi. C'est la vue du
Campo Santo[1].

LORENZO. Combien y a-t-il d'ici à l'immortalité ?

75 **VALORI.** Il est mal à vous de plaisanter cet enfant. Voyez
comme ses grands yeux s'attristent à chacune de vos paroles.

TEBALDEO. L'immortalité, c'est la foi. Ceux à qui Dieu a
donné des ailes y arrivent en souriant.

VALORI. Tu parles comme un élève de Raphaël.

---

1. **Campo Santo :** nom donné au cimetière en Italie.

TEBALDEO. Seigneur, c'était mon maître. Ce que j'ai appris 80
vient de lui.

LORENZO. Viens chez moi, je te ferai peindre la Mazzafirra[1]
toute nue.

TEBALDEO. Je ne respecte point mon pinceau, mais je respecte mon art. Je ne puis faire le portrait d'une courtisane. 85

LORENZO. Ton Dieu s'est bien donné la peine de la faire ;
tu peux bien te donner celle de la peindre. Veux-tu me
faire une vue de Florence ?

TEBALDEO. Oui, monseigneur.

LORENZO. Comment t'y prendrais-tu ? 90

TEBALDEO. Je me placerais à l'orient, sur la rive gauche
de l'Arno. C'est de cet endroit que la perspective est la plus
large et la plus agréable.

LORENZO. Tu peindrais Florence, les places, les maisons
et les rues ? 95

TEBALDEO. Oui, monseigneur.

LORENZO. Pourquoi donc ne peux-tu peindre une courtisane, si tu peux peindre un mauvais lieu ?

TEBALDEO. On ne m'a point encore appris à parler ainsi
de ma mère. 100

LORENZO. Qu'appelles-tu ta mère ?

TEBALDEO. Florence, seigneur.

LORENZO. Alors, tu n'es qu'un bâtard, car ta mère n'est
qu'une catin.

TEBALDEO. Une blessure sanglante peut engendrer la 105
corruption dans le corps le plus sain. Mais des gouttes précieuses du sang de ma mère sort une plante odorante qui
guérit tous les maux. L'art, cette fleur divine, a quelquefois
besoin du fumier pour engraisser le sol et le féconder.

---

1. **Mazzafirra** : courtisane florentine, maîtresse du peintre Cristofano
   Allori (1577-1621). Anachronisme de Musset.

110 **LORENZO.** Comment entends-tu ceci ?

TEBALDEO. Les nations paisibles et heureuses ont quelquefois brillé d'une clarté pure, mais faible. Il y a plusieurs cordes à la harpe des anges ; le zéphyr peut murmurer sur les plus faibles, et tirer de leur accord une harmonie suave
115 et délicieuse ; mais la corde d'argent ne s'ébranle qu'au passage du vent du nord. C'est la plus belle et la plus noble ; et cependant le toucher d'une rude main lui est favorable. L'enthousiasme est frère de la souffrance[1].

LORENZO. C'est-à-dire qu'un peuple malheureux fait les
120 grands artistes. Je me ferais volontiers l'alchimiste de ton alambic[2] ; les larmes des peuples y retombent en perles. Par la mort du diable ! tu me plais. Les familles peuvent se désoler, les nations mourir de misère, cela échauffe la cervelle de monsieur. Admirable poète ! comment arranges-
125 tu tout cela avec ta piété ?

TEBALDEO. Je ne ris point du malheur des familles ; je dis que la poésie est la plus douce des souffrances[3], et qu'elle aime ses sœurs. Je plains les peuples malheureux, mais je crois en effet qu'ils font les grands artistes. Les champs de
130 bataille font pousser les moissons, les terres corrompues[4] engendrent le blé céleste.

LORENZO. Ton pourpoint est usé ; en veux-tu un à ma livrée ?

TEBALDEO. Je n'appartiens à personne. Quand la pensée
135 veut être libre, le corps doit l'être aussi.

---

1. **Frère de la souffrance :** cf. Diderot, *Discours sur la poésie dramatique*, 1758 : « La poésie veut quelque chose d'énorme, de barbare et de sauvage. »
2. **Alchimiste de ton alambic :** à l'instar de l'alchimiste qui transforme les métaux vils en or, Tebaldeo veut transformer par l'art la souffrance en beauté.
3. **La poésie est la plus douce des souffrances :** « Les plus désespérés sont les chants les plus beaux » (Musset, *La Nuit de mai*, 1835).
4. **Corrompues :** souillées, infectées.

LORENZO. J'ai envie de dire à mon valet de chambre de te donner des coups de bâton.

TEBALDEO. Pourquoi, monseigneur ?

LORENZO. Parce que cela me passe par la tête. Es-tu boiteux de naissance ou par accident ?   140

TEBALDEO. Je ne suis pas boiteux ; que voulez-vous dire par là ?

LORENZO. Tu es boiteux ou tu es fou.

TEBALDEO. Pourquoi, monseigneur ? Vous vous riez de moi.   145

LORENZO. Si tu n'étais pas boiteux, comment resterais-tu, à moins d'être fou, dans une ville où, en l'honneur de tes idées de liberté, le premier valet d'un Médicis peut t'assommer sans qu'on y trouve à redire ?

TEBALDEO. J'aime ma mère Florence ; c'est pourquoi je   150
reste chez elle. Je sais qu'un citoyen peut être assassiné en plein jour et en pleine rue, selon le caprice de ceux qui la gouvernent ; c'est pourquoi je porte ce stylet[1] à ma ceinture.

LORENZO. Frapperais-tu le duc si le duc te frappait, comme il lui est arrivé souvent de commettre, par partie de plaisir,   155
des meurtres facétieux[2] ?

TEBALDEO. Je le tuerais, s'il m'attaquait.

LORENZO. Tu me dis cela, à moi ?

TEBALDEO. Pourquoi m'en voudrait-on ? je ne fais de mal à personne. Je passe les journées à l'atelier. Le dimanche, je   160
vais à l'Annonciade ou à Sainte-Marie[3] ; les moines trouvent que j'ai de la voix ; ils me mettent une robe blanche et une calotte rouge, et je fais ma partie dans les chœurs, quelquefois un petit solo : ce sont les seules occasions où

---

1. **Stylet :** poignard à lame fine.
2. **Facétieux :** pour se divertir.
3. **À l'Annonciade ou à Sainte-Marie :** églises de Florence.

165 je vais en public. Le soir, je vais chez ma maîtresse, et quand la nuit est belle, je la passe sur son balcon. Personne ne me connaît, et je ne connais personne ; à qui ma vie ou ma mort peut-elle être utile ?

LORENZO. Es-tu républicain ? aimes-tu les princes ?

170 **TEBALDEO.** Je suis artiste ; j'aime ma mère et ma maîtresse.

LORENZO. Viens demain à mon palais, je veux te faire faire un tableau d'importance pour le jour de mes noces[1].
Ils sortent.

---

1. **Mes noces :** métaphore dans la bouche de Lorenzo pour évoquer le meurtre d'Alexandre.

Clefs d'analyse

Acte II, scène 2.

Compréhension

Concret et abstrait

- Relever les antithèses qui opposent abstrait et concret.
- Observer les métaphores appliquées à l'art par Tebaldeo.

L'éloge

- Relever les questions oratoires dans le discours de Valori.
- Observer à partir de quel moment Valori et Lorenzo se mettent à tutoyer Tebaldeo.
- Relever les aspects lyriques du discours de Tebaldeo.
- Indiquer quelle métaphore revient le plus souvent lorsqu'il évoque ses émotions ou la ville de Florence.

Réflexion

L'art

- Montrer comment Tebaldeo cherche à montrer que l'artiste vit hors du monde du commun des mortels.
- Analyser la relation entre l'art et le sacré exposée par Tebaldeo.
- Analyser la relation qu'il établit également entre l'art et la morale.
- Analyser la relation qu'il établit entre l'art et la cité.

La critique

- Analyser la façon dont Lorenzo met en évidence la naïveté de l'enthousiasme de Tebaldeo.
- Analyser les procédés auxquels Lorenzo a recours pour mettre au jour les contradictions du discours de Tebaldeo.

À retenir :

Les sentences sont des phrases lapidaires, souvent rythmées sinon rimées, qui énoncent une vérité générale d'une importante valeur morale. La force de cette formulation, que l'on désigne également sous le terme de maxime, vient de la sobriété alliée à la hauteur de vue. L'accumulation des sentences dans le discours de Tebaldeo et leur ton lyrique leur retirent leur force.

Scène 3 *Chez la marquise Cibo.*

LE CARDINAL, *seul.* Oui, je suivrai tes ordres, Farnèse[1] !
Que ton commissaire apostolique[2] s'enferme avec sa probité[3] dans le cercle étroit de son officine, je remuerai
d'une main ferme la terre glissante sur laquelle il n'ose
5 marcher. Tu attends cela de moi, je t'ai compris, et j'agirai
sans parler, comme tu as commandé. Tu as deviné qui
j'étais, lorsque tu m'as placé auprès d'Alexandre sans me
revêtir d'aucun titre qui me donnât quelque pouvoir sur
lui. C'est d'un autre qu'il se défiera, en m'obéissant à son
10 insu. Qu'il épuise sa force contre des ombres d'hommes
gonflés d'une ombre de puissance, je serai l'anneau invi-
sible qui l'attachera, pieds et poings liés, à la chaîne de fer
dont Rome et César tiennent les deux bouts. Si mes yeux
ne me trompent pas, c'est dans cette maison qu'est le mar-
15 teau dont je me servirai. Alexandre aime ma belle-sœur ;
que cet amour l'ait flattée, cela est croyable ; ce qui peut
en résulter est douteux ; mais ce qu'elle en veut faire, c'est
là ce qui est certain pour moi. Qui sait jusqu'où pourrait
aller l'influence d'une femme exaltée, même sur cet
20 homme grossier, sur cette armure vivante ? Un si doux
péché pour une si belle cause, cela est tentant, n'est-il pas
vrai, Ricciarda ? Presser ce cœur de lion sur ton faible
cœur tout percé de flèches sanglantes, comme celui de
saint Sébastien[4] ; parler, les yeux en pleurs, des malheurs
25 de la patrie, pendant que le tyran adoré passera ses rudes

---

1. **Farnèse :** « le pape Paul III » (note de Musset).
2. **Commissaire apostolique :** Baccio Valori.
3. **Probité :** intégrité, honnêteté.
4. **Saint Sébastien :** martyr chrétien du IIIe siècle, que Dioclétien a fait
   transpercer de flèches (abondamment représenté comme tel dans la
   peinture italienne).

mains dans ta chevelure dénouée ; faire jaillir d'un rocher l'étincelle sacrée, cela valait bien le petit sacrifice de l'honneur conjugal, et de quelques autres bagatelles. Florence y gagnerait tant, et ces bons maris n'y perdent rien ! Mais il ne fallait pas me prendre pour confesseur.   30

La voici qui s'avance, son livre de prières à la main. Aujourd'hui donc tout va s'éclaircir – laisse seulement tomber ton secret dans l'oreille du prêtre : le courtisan[1] pourra bien en profiter, mais, en conscience, il n'en dira rien.

Entre la marquise.   35

LE CARDINAL, *s'asseyant.* Me voilà prêt.

La marquise s'agenouille auprès de lui sur son prie-Dieu.

LA MARQUISE. Bénissez-moi, mon père, parce que j'ai péché.

LE CARDINAL. Avez-vous dit votre *Confiteor*[2] ? Nous   40
pouvons commencer, marquise.

LA MARQUISE. Je m'accuse de mouvements de colère, de doutes irréligieux et injurieux pour notre saint-père le pape.

LE CARDINAL. Continuez.   45

LA MARQUISE. J'ai dit hier, dans une assemblée, à propos de l'évêque de Fano, que la sainte Église catholique était un lieu de débauche.

LE CARDINAL. Continuez.

LA MARQUISE. J'ai écouté des discours contraires à la   50
fidélité que j'ai jurée à mon mari.

LE CARDINAL. Qui vous a tenu ces discours ?

LA MARQUISE. J'ai lu une lettre écrite dans la même pensée.

LE CARDINAL. Qui vous a écrit cette lettre ?

---

1. **Courtisan :** homme de cour.
2. **Confiteor :** prière préliminaire à l'acte de confession (latin : « je reconnais »).

55 **LA MARQUISE.** Je m'accuse de ce que j'ai fait, et non de ce qu'ont fait les autres.

LE CARDINAL. Ma fille, vous devez me répondre, si vous voulez que je puisse vous donner l'absolution en toute sécurité. Avant tout, dites-moi si vous avez répondu à 60 cette lettre.

LA MARQUISE. J'y ai répondu de vive voix, mais non par écrit.

LE CARDINAL. Qu'avez-vous répondu ?

LA MARQUISE. J'ai accordé à la personne qui m'avait 65 écrit la permission de me voir comme elle le demandait.

LE CARDINAL. Comment s'est passée cette entrevue ?

LA MARQUISE. Je me suis accusée déjà d'avoir écouté des discours contraires à mon honneur.

LE CARDINAL. Comment y avez-vous répondu ?

70 **LA MARQUISE.** Comme il convient à une femme qui se respecte.

LE CARDINAL. N'avez-vous point laissé entrevoir qu'on finirait par vous persuader ?

LA MARQUISE. Non, mon père.

75 **LE CARDINAL.** Avez-vous annoncé à la personne dont il s'agit la résolution de ne plus écouter de semblables discours à l'avenir ?

LA MARQUISE. Oui, mon père.

LE CARDINAL. Cette personne vous plaît-elle ?

80 **LA MARQUISE.** Mon cœur n'en sait rien, j'espère.

LE CARDINAL. Avez-vous averti votre mari ?

LA MARQUISE. Non, mon père. Une honnête femme ne doit point troubler son ménage par des récits de cette sorte.

LE CARDINAL. Ne me cachez-vous rien ? Ne s'est-il rien 85 passé entre vous et la personne dont il s'agit, que vous hésitiez à me confier ?

LA MARQUISE. Rien, mon père.

LE CARDINAL. Pas un regard tendre ? pas un baiser pris à la dérobée ?

LA MARQUISE. Non, mon père.   90

LE CARDINAL. Cela est-il sûr, ma fille ?

LA MARQUISE. Mon beau-frère[1], il me semble que je n'ai pas l'habitude de mentir devant Dieu.

LE CARDINAL. Vous avez refusé de me dire le nom que je vous ai demandé tout à l'heure ; je ne puis cependant   95
vous donner l'absolution sans le savoir.

LA MARQUISE. Pourquoi cela ? Lire une lettre peut être un péché, mais non pas une signature. Qu'importe le nom à la chose ?

LE CARDINAL. Il importe plus que vous ne pensez.   100

LA MARQUISE. Malaspina, vous en voulez trop savoir. Refusez-moi l'absolution, si vous voulez ; je prendrai pour confesseur le premier prêtre venu, qui me la donnera.
Elle se lève.

LE CARDINAL. Quelle violence, marquise ! Est-ce que je   105
ne sais pas que c'est du duc que vous voulez parler ?

LA MARQUISE. Du duc ! – Eh bien ! si vous le savez, pourquoi voulez-vous me le faire dire ?

LE CARDINAL. Pourquoi refusez-vous de me le dire ? Cela m'étonne.   110

LA MARQUISE. Et qu'en voulez-vous faire, vous, mon confesseur ? Est-ce pour le répéter à mon mari que vous tenez si fort à l'entendre ? Oui, cela est bien certain ; c'est un tort que d'avoir pour confesseur un de ses parents. Le ciel m'est témoin qu'en m'agenouillant devant vous, j'oublie   115

---

1. **Mon beau-frère :** par ce terme, la marquise signifie qu'elle ne s'adresse plus au confesseur mais au familier.

que je suis votre belle-sœur ; mais vous prenez soin de me le rappeler. Prenez garde, Cibo, prenez garde à votre salut éternel, tout cardinal que vous êtes.

LE CARDINAL. Revenez donc à cette place, marquise ; il
120 n'y a pas tant de mal que vous croyez.

LA MARQUISE. Que voulez-vous dire ?

LE CARDINAL. Qu'un confesseur doit tout savoir, parce qu'il peut tout diriger, et qu'un beau-frère ne doit rien dire, à certaines conditions.

125 **LA MARQUISE.** Quelles conditions ?

LE CARDINAL. Non, non, je me trompe ; ce n'était pas ce mot-là que je voulais employer. Je voulais dire que le duc est puissant, qu'une rupture avec lui peut nuire aux plus riches familles ; mais qu'un secret d'importance entre des
130 mains expérimentées peut devenir une source de biens abondante.

LA MARQUISE. Une source de biens ! – des mains expérimentées ! – Je reste là, en vérité, comme une statue. Que couves-tu, prêtre, sous ces paroles ambiguës ? Il y a certains
135 assemblages de mots qui passent par instants sur vos lèvres, à vous autres ; on ne sait qu'en penser.

LE CARDINAL. Revenez donc vous asseoir là, Ricciarda. Je ne vous ai point encore donné l'absolution.

LA MARQUISE. Parlez toujours ; il n'est pas prouvé que
140 j'en veuille.

LE CARDINAL, *se levant.* Prenez garde à vous, marquise ! Quand on veut me braver en face, il faut avoir une armure solide et sans défaut ; je ne veux point menacer ; je n'ai qu'un mot à vous dire : prenez un autre confesseur.
145 *Il sort.*

LA MARQUISE, *seule.* Cela est inouï. S'en aller en serrant les poings, les yeux enflammés de colère ! Parler de mains expérimentées, de direction à donner à certaines choses !

Eh ! mais qu'y a-t-il donc ? Qu'il voulût pénétrer mon
secret pour en informer mon mari, je le conçois ; mais, si   150
ce n'est pas là son but, que veut-il donc faire de moi ? La
maîtresse du duc ? Tout savoir, dit-il, et tout diriger !
– Cela n'est pas possible ! – Il y a quelque autre mystère
plus sombre et plus inexplicable là-dessous ; Cibo ne
ferait pas un pareil métier. Non ! cela est sûr ; je le   155
connais. C'est bon pour un Lorenzaccio ; mais lui ! il faut
qu'il ait quelque sourde[1] pensée, plus vaste que cela et
plus profonde. Ah ! comme les hommes sortent d'eux-
mêmes tout à coup après dix ans de silence ! Cela est
effrayant. Maintenant, que ferai-je ? Est-ce que j'aime   160
Alexandre ? Non, je ne l'aime pas, non, assurément ; j'ai dit
que non dans ma confession, et je n'ai pas menti. Pourquoi
Laurent est-il à Massa ? Pourquoi le duc me presse-t-il ?
Pourquoi ai-je répondu que je ne voulais plus le voir ?
pourquoi ? – Ah ! pourquoi y a-t-il dans tout cela un   165
aimant, un charme[2] inexplicable qui m'attire ? *(Elle ouvre
sa fenêtre.)* Que tu es belle, Florence, mais que tu es triste !
Il y a là plus d'une maison où Alexandre est entré la nuit,
couvert de son manteau ; c'est un libertin[3], je le sais. – Et
pourquoi est-ce que tu te mêles à tout cela, toi, Florence ?   170
Qui est-ce donc que j'aime ? Est-ce toi ? Est-ce lui ?

AGNOLO, *entrant*. Madame, Son Altesse vient d'entrer
dans la cour.

LA MARQUISE. Cela est singulier ; ce Malaspina m'a laissée toute tremblante.   175

---

1. **Sourde :** secrète, cachée.
2. **Charme :** séduction magique.
3. **Libertin :** débauché.

Scène 4 *Au palais des Soderini.*
MARIE SODERINI, CATHERINE,
LORENZO, *assis.*

CATHERINE, *tenant un livre.* Quelle histoire vous lirai-je,
ma mère ?

MARIE. Ma Cattina se moque de sa pauvre mère. Est-ce
que je comprends rien à tes livres latins ?

5 **CATHERINE.** Celui-ci n'est point en latin, mais il en est
traduit. C'est l'histoire romaine.

LORENZO. Je suis très fort sur l'histoire romaine. Il y avait
une fois un jeune gentilhomme nommé Tarquin le fils[1].

CATHERINE. Ah ! c'est une histoire de sang.

10 **LORENZO.** Pas du tout ; c'est un conte de fées. Brutus[2]
était un fou, un monomane[3], et rien de plus. Tarquin était
un duc plein de sagesse, qui allait voir en pantoufles si les
petites filles dormaient bien.

CATHERINE. Dites-vous aussi du mal de Lucrèce ?

15 **LORENZO.** Elle s'est donné le plaisir du péché et la gloire
du trépas[4]. Elle s'est laissé prendre toute vive comme une
alouette au piège, et puis elle s'est fourré bien gentiment
son petit couteau dans le ventre.

---

1. **Tarquin le fils :** Sextus Tarquin (534-509 av. J.-C.), fils de Tarquin le
Superbe, roi de Rome : il viola Lucrèce, qui se suicida de honte. C'est
alors que se déclencha la révolte qui chassa la monarchie et institua la
République à Rome.
2. **Brutus :** frère de Lucrèce, il se fit passer pour fou pour échapper au roi
et préparer sa vengeance, soulevant le peuple et chassant les Tarquin.
3. **Monomane :** fou obsédé par une idée fixe.
4. **Le plaisir du péché et la gloire du trépas :** formule reprise à George
Sand.

MARIE. Si vous méprisez les femmes, pourquoi affectez-vous de les rabaisser devant votre mère et votre sœur[1] ? [20]

LORENZO. Je vous estime, vous et elle. Hors de là, le monde me fait horreur.

MARIE. Sais-tu le rêve que j'ai eu cette nuit, mon enfant ?

LORENZO. Quel rêve ?

MARIE. Ce n'était point un rêve, car je ne dormais pas. [25] J'étais seule dans cette grande salle ; ma lampe était loin de moi, sur cette table auprès de la fenêtre. Je songeais aux jours où j'étais heureuse, aux jours de ton enfance, mon Lorenzino. Je regardais cette nuit obscure, et je me disais : il ne rentrera qu'au jour, lui qui passait autrefois [30] les nuits à travailler. Mes yeux se remplissaient de larmes, et je secouais la tête en les sentant couler. J'ai entendu tout d'un coup marcher lentement dans la galerie ; je me suis retournée ; un homme vêtu de noir[2] venait à moi, un livre sous le bras – c'était toi, Renzo : « Comme tu reviens [35] de bonne heure ! » me suis-je écriée. Mais le spectre s'est assis auprès de la lampe sans me répondre ; il a ouvert son livre, et j'ai reconnu mon Lorenzino d'autrefois.

LORENZO. Vous l'avez vu ?

MARIE. Comme je te vois. [40]

LORENZO. Quand s'en est-il allé ?

MARIE. Quand tu as tiré la cloche ce matin en rentrant.

LORENZO. Mon spectre, à moi ! Et il s'en est allé quand je suis rentré ?

MARIE. Il s'est levé d'un air mélancolique, et s'est effacé [45] comme une vapeur du matin.

---

1. **Votre mère et votre sœur :** réplique empruntée à George Sand. Musset fait de Catherine, en raison de son âge, la « sœur » de Lorenzo.
2. **Un homme vêtu de noir :** hallucination reprise dans *La Nuit de décembre* (1835) où Musset voit un « pâle enfant vêtu de noir ».

LORENZO. Catherine, Catherine, lis-moi l'histoire de Brutus[1].

CATHERINE. Qu'avez-vous ? vous tremblez de la tête aux pieds.

50 **LORENZO.** Ma mère, asseyez-vous ce soir à la place où vous étiez cette nuit, et si mon spectre revient, dites-lui qu'il verra bientôt quelque chose qui l'étonnera.
On frappe.

CATHERINE. C'est mon oncle Bindo et Baptista Venturi.

55 *Entrent Bindo et Venturi.*

BINDO, *bas à Marie.* Je viens tenter un dernier effort.

MARIE. Nous vous laissons ; puissiez-vous réussir !
Elle sort avec Catherine.

BINDO. Lorenzo, pourquoi ne démens-tu pas l'histoire
60 scandaleuse qui court sur ton compte ?

LORENZO. Quelle histoire ?

BINDO. On dit que tu t'es évanoui à la vue d'une épée.

LORENZO. Le croyez-vous, mon oncle ?

BINDO. Je t'ai vu faire des armes à Rome ; mais cela ne
65 m'étonnerait pas que tu devinsses plus vil qu'un chien, au métier que tu fais ici.

LORENZO. L'histoire est vraie, je me suis évanoui. Bonjour, Venturi. À quel taux sont vos marchandises ? comment va le commerce ?

70 **VENTURI.** Seigneur, je suis à la tête d'une fabrique de soie ; mais c'est me faire injure que de m'appeler marchand.

LORENZO. C'est vrai. Je voulais dire seulement que vous aviez contracté au collège l'habitude innocente de vendre de la soie[2].

---

1. **Brutus :** Brutus l'ancien, ou encore le républicain Brutus qui participa à l'assassinat de César en 44 av. J.-C.
2. **Vendre de la soie :** réminiscence du *Bourgeois gentilhomme* de Molière (IV, 3).

BINDO. J'ai confié au seigneur Venturi les projets qui ₇₅ occupent en ce moment tant de familles à Florence. C'est un digne ami de la liberté, et j'entends, Lorenzo, que vous le traitiez comme tel. Le temps de plaisanter est passé. Vous nous avez dit quelquefois que cette confiance extrême que le duc vous témoigne n'était qu'un piège de votre ₈₀ part. Cela est-il vrai ou faux ? Êtes-vous des nôtres, ou n'en êtes-vous pas ? Voilà ce qu'il nous faut savoir. Toutes les grandes familles voient bien que le despotisme des Médicis n'est ni juste ni tolérable. De quel droit laisserions-nous s'élever paisiblement cette maison orgueilleuse ₈₅ sur les ruines de nos privilèges ? La Capitulation n'est point observée[1]. La puissance de l'Allemagne se fait sentir de jour en jour d'une manière plus absolue. Il est temps d'en finir et de rassembler les patriotes. Répondrez-vous à cet appel ? ₉₀

LORENZO. Qu'en dites-vous, seigneur Venturi ? Parlez, parlez ! Voilà mon oncle qui reprend haleine. Saisissez cette occasion, si vous aimez votre pays.

VENTURI. Seigneur, je pense de même, et je n'ai pas un mot à ajouter. ₉₅

LORENZO. Pas un mot ? pas un beau petit mot bien sonore ? Vous ne connaissez pas la véritable éloquence. On tourne une grande période[2] autour d'un beau petit mot, pas trop court ni trop long, et rond comme une toupie. On rejette son bras gauche en arrière de manière à ₁₀₀ faire faire à son manteau des plis pleins d'une dignité tempérée par la grâce ; on lâche sa période qui se déroule comme une corde ronflante, et la petite toupie s'échappe

---

1. **Point observée :** la capitulation de 1530 devait garantir un certain nombre de droits aux Florentins, dont le respect de leur liberté.
2. **Période :** phrase ornée et organisée liée au style oratoire. L'ironie sur les effets oratoires faciles des prétendus patriotes est aussi présente chez George Sand.

avec un murmure délicieux. On pourrait presque la
105 ramasser dans le creux de la main, comme les enfants des
rues.

BINDO. Tu es un insolent ! Réponds, ou sors d'ici.

LORENZO. Je suis des vôtres, mon oncle. Ne voyez-vous
pas à ma coiffure que je suis républicain dans l'âme ?
110 Regardez comme ma barbe est coupée. N'en doutez pas
un seul instant ; l'amour de la patrie respire dans mes
vêtements les plus cachés[1].

*On sonne à la porte d'entrée. La cour se remplit de pages et
de chevaux.*

115 **UN PAGE,** *en entrant.* Le duc !
Entre Alexandre.

LORENZO. Quel excès de faveur, mon prince ! vous dai-
gnez visiter un pauvre serviteur en personne ?

LE DUC. Quels sont ces hommes-là ? J'ai à te parler.

120 **LORENZO.** J'ai l'honneur de présenter à Votre Altesse mon
oncle Bindo Altoviti, qui regrette qu'un long séjour à
Naples ne lui ait pas permis de se jeter plus tôt à vos pieds.
Cet autre seigneur est l'illustre Baptista Venturi, qui
fabrique, il est vrai, de la soie, mais qui n'en vend point.
125 Que la présence inattendue d'un si grand prince dans
cette humble maison ne vous trouble pas, mon cher oncle,
ni vous non plus, digne Venturi. Ce que vous demandez
vous sera accordé, ou vous serez en droit de dire que mes
supplications n'ont aucun crédit auprès de mon gracieux
130 souverain.

LE DUC. Que demandez-vous, Bindo ?

BINDO. Altesse, je suis désolé que mon neveu…

---

1. **Les plus cachés :** en 1830, les détails vestimentaires signalent les opi-
nions politiques et littéraires, notamment les habits et la barbe.

LORENZO. Le titre d'ambassadeur à Rome n'appartient à personne en ce moment. Mon oncle se flattait de l'obtenir de vos bontés. Il n'est pas dans Florence un seul homme 135 qui puisse soutenir la comparaison avec lui, dès qu'il s'agit du dévouement et du respect qu'on doit aux Médicis.

LE DUC. En vérité, Renzino ? Eh bien ! mon cher Bindo, voilà qui est dit. Viens demain au palais.

BINDO. Altesse, je suis confondu. Comment reconnaître... 140

LORENZO. Le seigneur Venturi, bien qu'il ne vende point de soie, demande un privilège pour ses fabriques.

LE DUC. Quel privilège ?

LORENZO. Vos armoiries sur la porte, avec le brevet[1]. Accordez-le-lui, monseigneur, si vous aimez ceux qui 145 vous aiment.

LE DUC. Voilà qui est bon. Est-ce fini ? Allez, messieurs, la paix soit avec vous.

VENTURI. Altesse !... vous me comblez de joie... je ne puis exprimer... 150

LE DUC, *à ses gardes.* Qu'on laisse passer ces deux personnes.

BINDO, *sortant, bas à Venturi.* C'est un tour infâme.

VENTURI *de même.* Qu'est-ce que vous ferez ?

BINDO, *de même.* Que diable veux-tu que je fasse ? Je suis 155 nommé.

VENTURI, *de même.* Cela est terrible.
Ils sortent.

LE DUC. La Cibo est à moi.

LORENZO. J'en suis fâché. 160

LE DUC. Pourquoi ?

---

1. **Brevet :** acte du souverain accordant un don, pension, grâce ou titre ; ici fournisseur de la cour.

LORENZO. Parce que cela fera tort aux autres.

LE DUC. Ma foi, non, elle m'ennuie déjà. Dis-moi donc, mignon[1], quelle est donc cette belle femme qui arrange
165 ses fleurs sur cette fenêtre ? Voilà longtemps que je la vois sans cesse en passant.

LORENZO. Où donc ?

LE DUC. Là-bas, en face, dans le palais.

LORENZO. Oh ! ce n'est rien.

170 **LE DUC.** Rien ? Appelles-tu rien ces bras-là ? Quelle Vénus, entrailles du diable !

LORENZO. C'est une voisine.

LE DUC. Je veux parler à cette voisine-là. Eh ! parbleu, si je ne me trompe, c'est Catherine Ginori.

175 **LORENZO.** Non.

LE DUC. Je la reconnais très bien ; c'est ta tante. Peste ! j'avais oublié cette figure-là. Amène-la donc souper.

LORENZO. Cela serait très difficile. C'est une vertu.

LE DUC. Allons donc ! Est-ce qu'il y en a pour nous
180 autres ?

LORENZO. Je le lui demanderai, si vous voulez. Mais je vous avertis que c'est une pédante[2] ; elle parle latin.

LE DUC. Bon ! elle ne fait pas l'amour en latin[3]. Viens donc par ici ; nous la verrons mieux de cette galerie.

185 **LORENZO.** Une autre fois, mignon — à l'heure qu'il est je n'ai pas de temps à perdre — il faut que j'aille chez le Strozzi[4].

---

1. **Mignon :** on appelait ainsi les favoris très efféminés d'Henri III (1551-1589).
2. **Pédante :** personne se prétendant savante et qui étale son savoir.
3. **L'amour en latin :** réminiscence de Voltaire, *Jeannot et Colin*, 1764 : « Fait-on l'amour en latin ? »
4. **Le Strozzi :** ici, article avec valeur méprisante.

LE DUC. Quoi ! chez ce vieux fou ?

LORENZO. Oui, chez ce vieux misérable, chez cet infâme. Il paraît qu'il ne peut se guérir de cette singulière lubie [190] d'ouvrir sa bourse à toutes ces viles créatures qu'on nomme bannis, et que ces meurt-de-faim se réunissent chez lui tous les jours, avant de mettre leurs souliers et de prendre leurs bâtons. Maintenant, mon projet est d'aller au plus vite manger le dîner de ce vieux gibier de potence, et [195] de lui renouveler l'assurance de ma cordiale amitié. J'aurai ce soir quelque bonne histoire à vous conter, quelque charmante petite fredaine[1] qui pourra faire lever de bonne heure demain matin quelques-unes de toutes ces canailles.

LE DUC. Que je suis heureux de t'avoir, mignon ! J'avoue [200] que je ne comprends pas comment ils te reçoivent.

LORENZO. Bon ! si vous saviez comme cela est aisé de mentir impudemment au nez d'un butor[2] ! Cela prouve bien que vous n'avez jamais essayé. À propos, ne m'avez-vous pas dit que vous vouliez donner votre portrait, je ne [205] sais plus à qui ? J'ai un peintre à vous amener ; c'est un protégé.

LE DUC. Bon, bon, mais pense à la tante. C'est pour elle que je suis venu te voir ; le diable m'emporte, tu as une tante qui me revient. [210]

LORENZO. Et la Cibo ?

LE DUC. Je te dis de parler de moi à ta tante.
Ils sortent.

---

1. **Fredaine :** écart de conduite sans gravité, considéré avec indulgence et légèreté.
2. **Butor :** homme grossier et maladroit.

Scène 5 *Une salle du palais des Strozzi.*
PHILIPPE STOZZI, LE PRIEUR
LOUISE, *occupée à travailler* ;
LORENZO, *couché sur un sofa.*

PHILIPPE. Dieu veuille qu'il n'en soit rien ! Que de haines inextinguibles, implacables, n'ont pas commencé autrement ! Un propos ! la fumée d'un repas jasant[1] sur les lèvres épaisses d'un débauché ! voilà les guerres de familles,
5 voilà comme les couteaux se tirent. On est insulté, et on tue ; on a tué, et on est tué. Bientôt les haines s'enracinent ; on berce les fils dans les cercueils de leurs aïeux, et des générations entières sortent de terre l'épée à la main.

10 **LE PRIEUR.** J'ai peut-être eu tort de me souvenir de ce méchant propos et de ce maudit voyage à Montolivet ; mais le moyen d'endurer ces Salviati ?

PHILIPPE. Ah ! Léon, Léon, je te le demande ; qu'y aurait-il de changé pour Louise et pour nous-mêmes, si tu
15 n'avais rien dit à mes enfants ? La vertu d'une Strozzi ne peut-elle oublier un mot d'un Salviati ? L'habitant d'un palais de marbre doit-il savoir les obscénités que la populace écrit sur ses murs ? Qu'importe le propos d'un Julien ? Ma fille en trouvera-t-elle moins un honnête mari ? Ses
20 enfants la respecteront-ils moins ? M'en souviendrai-je, moi, son père, en lui donnant le baiser du soir ? Où en sommes-nous, si l'insolence du premier venu tire du fourreau des épées comme les nôtres ? Maintenant tout est perdu ; voilà Pierre furieux de tout ce que tu nous as
25 conté. Il s'est mis en campagne ; il est allé chez les Pazzi. Dieu sait ce qui peut arriver ! Qu'il rencontre Salviati, voilà

---

1. **Jasant :** bavardant.

le sang répandu, le mien, mon sang sur le pavé de Florence ! Ah ! pourquoi suis-je père ?

LE PRIEUR. Si l'on m'eût rapporté un propos sur ma sœur, quel qu'il fût, j'aurais tourné le dos, et tout aurait été fini là. Mais celui-là m'était adressé ; il était si grossier, que je me suis figuré que le rustre ne savait de qui il parlait – mais il le savait bien.

PHILIPPE. Oui, ils le savent, les infâmes ! ils savent bien où ils frappent ! Le vieux tronc d'arbre est d'un bois trop solide ; ils ne viendraient pas l'entamer. Mais ils connaissent la fibre délicate qui tressaille dans ses entrailles, lorsqu'on attaque son plus faible bourgeon. Ma Louise ! ah ! qu'est-ce donc que la raison ? Les mains me tremblent à cette idée. Juste Dieu ! la raison, est-ce donc la vieillesse ?

LE PRIEUR. Pierre est trop violent.

PHILIPPE. Pauvre Pierre ! comme le rouge lui est monté au front ! comme il a frémi en t'écoutant raconter l'insulte faite à sa sœur ! C'est moi qui suis un fou, car je t'ai laissé dire. Pierre se promenait par la chambre à grands pas, inquiet[1], furieux, la tête perdue ; il allait et venait, comme moi maintenant. Je le regardais en silence ; c'est un si beau spectacle qu'un sang pur montant à un front sans reproche. Ô ma patrie ! pensais-je, en voilà un, et c'est mon aîné. Ah ! Léon, j'ai beau faire, je suis un Strozzi.

LE PRIEUR. Il n'y a peut-être pas tant de danger que vous le pensez. – C'est un grand hasard s'il rencontre Salviati ce soir. – Demain, nous verrons tous les choses plus sagement.

PHILIPPE. N'en doute pas ; Pierre le tuera, ou il se fera tuer. *(Il ouvre la fenêtre.)* Où sont-ils maintenant ? Voilà la nuit ; la ville se couvre de profondes ténèbres. Ces rues sombres me font horreur – le sang coule quelque part, j'en suis sûr.

---

1. **Inquiet :** qui ne peut tenir en place, agité.

LE PRIEUR. Calmez-vous.

70 **PHILIPPE.** À la manière dont mon Pierre est sorti, je suis sûr qu'il ne rentrera que vengé ou mort. Je l'ai vu décrocher son épée en fronçant le sourcil ; il se mordait les lèvres, et les muscles de ses bras étaient tendus comme des arcs. Oui, oui, maintenant il meurt ou il est vengé ;
75 cela n'est pas douteux.

LE PRIEUR. Remettez-vous, fermez cette fenêtre.

PHILIPPE. Eh bien, Florence, apprends-la donc à tes pavés, la couleur de mon noble sang ! Il y a quarante de tes fils qui l'ont dans les veines. Et moi, le chef de cette
80 famille immense, plus d'une fois encore ma tête blanche se penchera du haut de ces fenêtres, dans les angoisses paternelles ! plus d'une fois ce sang, que tu bois peut-être à cette heure avec indifférence, séchera au soleil de tes places ! Mais ne ris pas ce soir du vieux Strozzi, qui a peur
85 pour son enfant. Sois avare de sa famille, car il viendra un jour où tu la compteras, où tu te mettras avec lui à la fenêtre, et où le cœur te battra aussi lorsque tu entendras le bruit de nos épées.

LOUISE. Mon père ! mon père ! vous me faites peur.

90 **LE PRIEUR,** *bas à Louise.* N'est-ce pas Thomas[1] qui rôde sous ces lanternes ? Il m'a semblé le reconnaître à sa petite taille ; le voilà parti.

PHILIPPE. Pauvre ville, où les pères attendent ainsi le retour de leurs enfants ! Pauvre patrie ! pauvre patrie ! Il y
95 en a bien d'autres à cette heure qui ont pris leurs manteaux et leurs épées pour s'enfoncer dans cette nuit obscure – et ceux qui les attendent ne sont point inquiets – ils savent qu'ils mourront demain de misère, s'ils ne meurent de froid cette nuit. Et nous, dans ces palais somptueux,

---

1. **N'est-ce pas Thomas :** Thomas Strozzi.

nous attendons qu'on nous insulte pour tirer nos épées ! 100
Le propos d'un ivrogne nous transporte de colère, et disperse dans ces sombres rues nos fils et nos amis ! Mais les malheurs publics ne secouent pas la poussière de nos armes. On croit Philippe Strozzi un honnête homme, parce qu'il fait le bien sans empêcher le mal ! Et maintenant, 105 moi, père, que ne donnerais-je pas pour qu'il y eût au monde un être capable de me rendre mon fils et de punir juridiquement l'insulte faite à ma fille ! Mais pourquoi empêcherait-on le mal qui m'arrive, quand je n'ai pas empêché celui qui arrive aux autres, moi qui en avais le 110 pouvoir ? Je me suis courbé sur des livres, et j'ai rêvé pour ma patrie ce que j'admirais dans l'Antiquité. Les murs criaient vengeance autour de moi, et je me bouchais les oreilles pour m'enfoncer dans mes méditations – il a fallu que la tyrannie vînt me frapper au visage pour me faire 115 dire : Agissons ! – et ma vengeance a des cheveux gris.
Entrent Pierre avec Thomas et François Pazzi.

PIERRE. C'est fait ; Salviati est mort.
Il embrasse sa sœur.

LOUISE. Quelle horreur ! tu es couvert de sang. 120

PIERRE. Nous l'avons attendu au coin de la rue des Archers ; François a arrêté son cheval ; Thomas l'a frappé à la jambe, et moi...

LOUISE. Tais-toi ! tais-toi ! tu me fais frémir. Tes yeux sortent de leurs orbites – tes mains sont hideuses ; tout ton corps 125 tremble, et tu es pâle comme la mort.

LORENZO, *se levant.* Tu es beau, Pierre, tu es grand comme la vengeance.

PIERRE. Qui dit cela ? Te voilà ici, toi, Lorenzaccio ! *(Il s'approche de son père.)* Quand donc fermerez-vous votre 130 porte à ce misérable ? ne savez-vous donc pas ce que c'est, sans compter l'histoire de son duel avec Maurice ?

PHILIPPE. C'est bon, je sais tout cela. Si Lorenzo est ici, c'est que j'ai de bonnes raisons pour l'y recevoir. Nous en
135 parlerons en temps et lieu.

PIERRE, *entre ses dents.* Hum ! des raisons pour recevoir cette canaille ! Je pourrais bien en trouver, un de ces matins, une très bonne aussi pour le faire sauter par les fenêtres. Dites ce que vous voudrez, j'étouffe dans cette chambre de
140 voir une pareille lèpre se traîner sur nos fauteuils.

PHILIPPE. Allons, paix ! tu es un écervelé. Dieu veuille que ton coup de ce soir n'ait pas de mauvaises suites pour nous ! Il faut commencer par te cacher.

PIERRE. Me cacher ! Et au nom de tous les saints, pour-
145 quoi me cacherais-je ?

LORENZO, *à Thomas.* En sorte que vous l'avez frappé à l'épaule ? — Dites-moi donc un peu…
Il l'entraîne dans l'embrasure d'une fenêtre ; tous deux s'entretiennent à voix basse.

150 **PIERRE.** Non, mon père, je ne me cacherai pas. L'insulte a été publique, il nous l'a faite au milieu d'une place. Moi je l'ai assommé au milieu d'une rue, et il me convient demain matin de le raconter à toute la ville. Depuis quand se cache-t-on pour avoir vengé son honneur ? Je me pro-
155 mènerais volontiers l'épée nue, et sans en essuyer une goutte de sang.

PHILIPPE. Viens par ici, il faut que je te parle. Tu n'es pas blessé, mon enfant ? tu n'as rien reçu dans tout cela ?
Ils sortent.

Scène 6

Au palais du duc.
LE DUC, *à demi nu,* TEBALDEO,
faisant son portrait,
GIOMO *joue de la guitare.*

GIOMO, *chantant.*
> Quand je mourrai, mon échanson[1],
> Porte mon cœur à ma maîtresse.
> Qu'elle envoie au diable la messe,
> La prêtraille[2] et les oraisons[3].   5
> Les pleurs ne sont que de l'eau claire.
> Dis-lui qu'elle éventre un tonneau ;
> Qu'on entonne un chœur sur ma bière,
> J'y répondrai du fond de mon tombeau.

LE DUC. Je savais bien que j'avais quelque chose à te   10
demander. Dis-moi, Hongrois, que t'avait donc fait ce
garçon que je t'ai vu bâtonner tantôt d'une si joyeuse
manière ?

GIOMO. Ma foi, je ne saurais le dire, ni lui non plus.

LE DUC. Pourquoi ? est-ce qu'il est mort ?   15

GIOMO. C'est un gamin d'une maison voisine ; tout à
l'heure, en passant, il m'a semblé qu'on l'enterrait.

LE DUC. Quand mon Giomo frappe, il frappe ferme.

GIOMO. Cela vous plaît à dire ; je vous ai vu tuer un
homme d'un coup plus d'une fois.   20

LE DUC. Tu crois ! J'étais donc gris ? Quand je suis en
pointe de gaieté, tous mes moindres coups sont mortels.

---

1. **Échanson :** chargé de servir à boire.
2. **Prêtraille :** terme injurieux pour qualifier le clergé.
3. **Oraisons :** prières.

(*À Tebaldeo.*) Qu'as-tu donc, petit ? est-ce que la main te tremble ? tu louches terriblement.

25 **TEBALDEO.** Rien, monseigneur, plaise à Votre Altesse.
Entre Lorenzo.

LORENZO. Cela avance-t-il ? Êtes-vous content de mon protégé ? (*Il prend la cotte de mailles du duc sur le sofa.*) Vous avez là une jolie cotte de mailles, mignon ! Mais cela
30 doit être bien chaud.

LE DUC. En vérité, si elle me gênait, je n'en porterais pas. Mais c'est du fil d'acier ; la lime la plus aiguë n'en pourrait ronger une maille, et en même temps c'est léger comme de la soie. Il n'y a peut-être pas la pareille dans toute
35 l'Europe ; aussi je ne la quitte guère, jamais, pour mieux dire.

LORENZO. C'est très léger, mais très solide. Croyez-vous cela à l'épreuve du stylet ?

LE DUC. Assurément.

40 **LORENZO.** Au fait, j'y réfléchis à présent, vous la portez toujours sous votre pourpoint. L'autre jour, à la chasse, j'étais en croupe derrière vous, et en vous tenant à bras-le-corps, je la sentais très bien. C'est une prudente habitude.

LE DUC. Ce n'est pas que je me défie de personne ;
45 comme tu dis, c'est une habitude – pure habitude de soldat.

LORENZO. Votre habit est magnifique. Quel parfum que ces gants ! Pourquoi donc posez-vous à moitié nu ? Cette cotte de mailles aurait fait son effet dans votre portrait ; vous avez eu tort de la quitter.

50 **LE DUC.** C'est le peintre qui l'a voulu. Cela vaut toujours mieux, d'ailleurs, de poser le cou découvert ; regarde les antiques[1].

---

1. **Antiques :** œuvres d'art de l'Antiquité.

LORENZO. Où diable est ma guitare ? Il faut que je fasse un second dessus[1] à Giomo.
Il sort.   55

TEBALDEO. Altesse, je n'en ferai pas davantage aujourd'hui.

GIOMO, *à la fenêtre.* Que fait donc Lorenzo ? Le voilà en contemplation devant le puits qui est au milieu du jardin ; ce n'est pas là, il me semble, qu'il devrait chercher sa guitare. 60

LE DUC. Donne-moi mes habits. Où est donc ma cotte de mailles ?

GIOMO. Je ne la trouve pas, j'ai beau chercher, elle s'est envolée.

LE DUC. Renzino la tenait il n'y a pas cinq minutes ; il 65
l'aura jetée dans un coin en s'en allant, selon sa louable coutume de paresseux.

GIOMO. Cela est incroyable ; pas plus de cotte de mailles que sur ma main.

LE DUC. Allons, tu rêves ! cela est impossible.   70

GIOMO. Voyez vous-même, Altesse ; la chambre n'est pas si grande !

LE DUC. Renzo la tenait là, sur ce sofa. *(Rentre Lorenzo.)* Qu'as-tu donc fait de ma cotte ? nous ne pouvons plus la trouver.   75

LORENZO. Je l'ai remise où elle était. Attendez – non, je l'ai posée sur ce fauteuil – non, c'était sur le lit – je n'en sais rien, mais j'ai trouvé ma guitare. *(Il chante en s'accompagnant.)*

Bonjour, madame l'abbesse…   80

---

1. **Second dessus :** terme de musique désignant le registre le plus haut, par opposition à la basse.

GIOMO. Dans le puits du jardin, apparemment ? car vous étiez penché dessus tout à l'heure d'un air tout à fait absorbé.

LORENZO. Cracher dans un puits pour faire des ronds est
85 mon plus grand bonheur. Après boire et dormir, je n'ai pas d'autre occupation. *(Il continue à jouer.)*

Bonjour, bonjour, abbesse de mon cœur…

LE DUC. Cela est inouï que cette cotte se trouve perdue ! Je crois que je ne l'ai pas ôtée deux fois dans ma vie, si ce
90 n'est pour me coucher.

LORENZO. Laissez donc, laissez donc. N'allez-vous pas faire un valet de chambre d'un fils de pape[1] ? Vos gens[2] la trouveront.

LE DUC. Que le diable t'emporte ! c'est toi qui l'as égarée.

95 **LORENZO.** Si j'étais duc de Florence, je m'inquiéterais d'autre chose que de mes cottes[3]. À propos, j'ai parlé de vous à ma chère tante. Tout est au mieux ; venez donc vous asseoir un peu ici que je vous parle à l'oreille.

GIOMO, *bas au duc.* Cela est singulier, au moins ; la cotte
100 de mailles est enlevée.

LE DUC. On la retrouvera.
Il s'assoit à côté de Lorenzo.

GIOMO, *à part.* Quitter la compagnie pour aller cracher dans le puits, cela n'est pas naturel. Je voudrais retrouver
105 cette cotte de mailles, pour m'ôter de la tête une vieille idée qui se rouille de temps en temps. Bah ! un Lorenzaccio ! La cotte est sous quelque fauteuil.

---

1. **Fils de pape :** Lorenzo rappelle la généalogie douteuse d'Alexandre, la rumeur le disant fils naturel de Clément VII.
2. **Vos gens :** vos domestiques.
3. **Mes cottes :** cotte de mailles, mais désigne aussi une jupe courte.

Gravure d'Édouard Lalauze pour l'acte II, scène 6.

Scène 7
Devant le palais.
Entre SALVIATI, *couvert de sang*
et boitant ; deux hommes
le soutiennent.

SALVIATI, *criant.* Alexandre de Médicis ! ouvre ta fenêtre, et regarde un peu comme on traite tes serviteurs !

LE DUC, *à la fenêtre.* Qui est là dans la boue ? Qui se traîne aux murailles de mon palais avec ces cris épou-
5   vantables ?

SALVIATI. Les Strozzi m'ont assassiné ; je vais mourir à ta porte.

LE DUC. Lesquels des Strozzi, et pourquoi ?

SALVIATI. Parce que j'ai dit que leur sœur était amou-
10   reuse de toi, mon noble duc. Les Strozzi ont trouvé leur sœur insultée parce que j'ai dit que tu lui plaisais ; trois d'entre eux m'ont assassiné. J'ai reconnu Pierre et Thomas ; je ne connais pas le troisième.

LE DUC. Fais-toi monter ici. Par Hercule ! les meurtriers
15   passeront la nuit en prison, et on les pendra demain matin.
Salviati entre dans le palais.

Synthèse

L'art et l'artiste dans Lorenzaccio

Personnages

Tebaldeo : l'image idéale de l'artiste ?

Le personnage de Tebaldeo n'apparaît qu'à cet acte. Paradoxalement, il semble d'autant plus important qu'il n'a aucune utilité dramatique. La seule qu'on pourrait lui attribuer tient au fait que la séance de pose du duc torse nu permet à Lorenzaccio de lui subtiliser sa cotte de mailles. En réalité, cet objet n'était pas nécessaire. Il ne sert qu'à justifier la présence de Tebaldeo dans la pièce, ce dernier représentant la figure de l'artiste. D'aucuns y ont vu une projection de Musset et ont considéré que Tebaldeo était l'image de l'artiste idéal. En réalité, Musset semble assez critique envers le personnage de Tebaldeo. Celui-ci refuse de représenter une femme de mœurs légères, mais il n'hésite pas à se compromettre avec le tyran et à le représenter à moitié nu. Tebaldeo incarne un modèle d'artiste qui vit totalement en dehors de la Cité, sans se préoccuper des problèmes politiques et sociaux qui l'entourent, à l'inverse des auteurs romantiques contestataires auxquels Musset s'identifie plus volontiers.

Langage

Sublime et grotesque

Le drame romantique, tel que l'a théorisé Hugo en particulier, insiste sur la nécessaire coexistence de toutes les catégories sociales et de tous les caractères sur une même scène théâtrale. Cette règle concerne non seulement les personnages, mais aussi le langage. Tous les registres et tous les tons doivent se côtoyer. Cette quête du sublime et du choc des registres donnait souvent un aspect grandiloquent à la pièce, d'autant que le drame avait fréquemment recours aux coups de théâtre inspirés du mélodrame. Musset se distingue de cette tradition. Certes, il met en scène la société florentine entière et utilise une large palette de registres, mais son écriture est marquée par une profonde ironie. Les répliques émaillées de sarcasme de Lorenzo renvoient les personnages qui abusent du registre lyrique à leurs contradictions, Tebaldeo en est un exemple.

Société

L'art : la nouvelle religion ?

Florence, au XVᵉ siècle, a connu un rayonnement culturel et artistique considérable. L'orfèvre et sculpteur Benvenuto Cellini fait d'ailleurs une fugace apparition dans la pièce. Pourtant, en 1537, l'heure de gloire de la cité est passée : Michel-Ange a quitté la ville pour Rome, et Tebaldeo n'aurait sans doute pas pu être un élève de Raphaël. Tebaldeo présente l'art comme une religion. De fait, c'est ainsi que pouvaient se le représenter les auteurs romantiques, lesquels devaient s'affirmer face à l'importance sociale des bourgeois, qui avaient réduit leur importance dans la société. Les artistes sont subordonnés à des nécessités économiques nouvelles. L'art et les affaires ne font pas bon ménage. La maison d'édition de Balzac fait une faillite retentissante. La plupart des auteurs doivent compter sur la collaboration avec les journaux pour assurer leur subsistance, tel Musset qui écrit pour *La Revue des Deux Mondes*.

Quant à la religion, elle peut être un refuge face à la désillusion du monde que vivent les romantiques. Mais ce n'est pas le cas de l'Église. La Restauration a marqué le retour de l'association du trône et de l'autel, et les républicains sont de ce fait violemment anticléricaux. Les appels du pape aux Autrichiens pour réprimer la révolte des Romagnes donnent une image sombre du pouvoir pontifical, qui est stigmatisé dans la pièce au travers de la figure du cardinal Cibo, créature du pape.

ACTE III

Scène 1
*La chambre à coucher
de Lorenzo.*

LORENZO ; SCORONCONCOLO
faisant des armes[1].

SCORONCONCOLO. Maître, as-tu assez du jeu ?

LORENZO. Non, crie plus fort. Tiens, pare celle-ci ! tiens,
meurs ! tiens, misérable !

SCORONCONCOLO. À l'assassin ! on me tue ! on me coupe
la gorge !   5

LORENZO. Meurs ! meurs ! meurs ! Frappe donc du pied.

SCORONCONCOLO. À moi, mes archers ! au secours ! on
me tue ! Lorenzo de l'enfer !

LORENZO. Meurs, infâme ! Je te saignerai, pourceau, je te
saignerai ! Au cœur, au cœur ! il est éventré. − Crie donc,   10
frappe donc, tue donc ! Ouvre-lui les entrailles ! Coupons-
le par morceaux, et mangeons, mangeons ! J'en ai jusqu'au
coude. Fouille dans la gorge, roule-le, roule ! Mordons,
mordons, et mangeons !
Il tombe épuisé.   15

SCORONCONCOLO, *s'essuyant le front.* Tu as inventé un
rude jeu, maître, et tu y vas en vrai tigre ; mille millions de
tonnerres ! tu rugis comme une caverne pleine de pan-
thères et de lions.

LORENZO. Ô jour de sang, jour de mes noces[2] ! Ô soleil !   20
soleil ! il y a assez longtemps que tu es sec comme le
plomb ; tu te meurs de soif, soleil ! son sang t'enivrera.

---

1. **Faisant des armes :** s'exerçant aux armes (s'agissant d'escrime).
2. **Jour de mes noces :** métaphore de Lorenzo pour parler du meurtre
   d'Alexandre.

Ô ma vengeance ! qu'il y a longtemps que tes ongles poussent !
Ô dents d'Ugolin[1] ! il vous faut le crâne, le crâne !

25 **SCORONCONCOLO.** Es-tu en délire ? As-tu la fièvre, ou es-
tu toi-même un rêve ?

LORENZO. Lâche, lâche — ruffian, — le petit maigre, les
pères, les filles — des adieux, des adieux sans fin[2] — les
rives de l'Arno pleines d'adieux ! — Les gamins l'écrivent
30 sur les murs. — Ris, vieillard, ris dans ton bonnet blanc[3]
— tu ne vois pas que mes ongles poussent ? — Ah ! le
crâne, le crâne !
Il s'évanouit.

SCORONCONCOLO. Maître, tu as un ennemi. *(Il lui jette*
35 *de l'eau à la figure.)* Allons, maître, ce n'est pas la peine de
tant te démener. On a des sentiments élevés ou on n'en a
pas ; je n'oublierai jamais que tu m'as fait avoir une certaine grâce sans laquelle je serais loin[4]. Maître, si tu as un
ennemi, dis-le, et je t'en débarrasserai sans qu'il y paraisse
40 autrement.

LORENZO. Ce n'est rien ; je te dis que mon seul plaisir est
de faire peur à mes voisins.

SCORONCONCOLO. Depuis que nous trépignons dans
cette chambre, et que nous y mettons tout à l'envers, ils
45 doivent être bien accoutumés à notre tapage. Je crois que

---

1. **Ugolin :** tyran de Pise, enfermé en 1288 avec ses fils et petits fils par
   l'archevêque Roger de Ubaldini. Ils y moururent tous de faim et l'on
   dit qu'Ugolin tenta de survivre en mangeant les cadavres de ses
   enfants. Dante, dans *La Divine Comédie*, chant XXXIII, le montre dévo-
   rant le crâne d'un de ses fils.
2. **Des adieux sans fin :** évocation des bannis saisis dans une sorte
   d'hallucination.
3. **Bonnet blanc :** insigne du parti gibelin auquel appartenait Ugolin. Serait-ce
   ce dernier ? Ou, au contraire, serait-ce son ennemi l'archevêque Roger de
   Ubaldini, puisque Musset avait d'abord écrit : « Vieillard ! ris sous ta tiare ! »
4. **Je serais loin :** je serais mort. Varchi dit que Lorenzo aurait obtenu la
   grâce de Scoronconcolo alors qu'il était condamné à mort pour homicide.

tu pourrais égorger trente hommes dans ce corridor, et les rouler sur ton plancher, sans qu'on s'aperçoive dans la maison qu'il s'y passe du nouveau. Si tu veux faire peur aux voisins, tu t'y prends mal. Ils ont eu peur la première fois, c'est vrai, mais maintenant ils se contentent d'enrager, ₅₀ et ne s'en mettent pas en peine jusqu'au point de quitter leurs fauteuils ou d'ouvrir leurs fenêtres.

LORENZO. Tu crois ?

SCORONCONCOLO. Tu as un ennemi, maître. Ne t'ai-je pas vu frapper du pied la terre, et maudire le jour de ta ₅₅ naissance ? N'ai-je pas des oreilles ? et, au milieu de tes fureurs, n'ai-je pas entendu résonner distinctement un petit mot bien net : la vengeance ? Tiens, maître, crois-moi, tu maigris — tu n'as plus le mot pour rire comme devant[1] — crois-moi, il n'y a rien de si mauvaise digestion ₆₀ qu'une bonne haine. Est-ce que sur deux hommes au soleil il n'y en a pas toujours un dont l'ombre gêne l'autre ? Ton médecin est dans ma gaine ; laisse-moi te guérir.

Il tire son épée. ₆₅

LORENZO. Ce médecin-là t'a-t-il jamais guéri, toi ?

SCORONCONCOLO. Quatre ou cinq fois. Il y avait un jour à Padoue une petite demoiselle qui me disait...

LORENZO. Montre-moi cette épée. Ah ! garçon, c'est une brave lame. ₇₀

SCORONCONCOLO. Essaye-la, et tu verras.

LORENZO. Tu as deviné mon mal — j'ai un ennemi. Mais pour lui je ne me servirai pas d'une épée qui ait servi pour d'autres. Celle qui le tuera n'aura ici-bas qu'un baptême[2] ; elle gardera son nom. ₇₅

---

1. **Comme devant :** comme avant.
2. **Baptême :** après la métaphore des noces, on trouve celle du baptême : le meurtre d'Alexandre est un rituel sacré.

SCORONCONCOLO. Quel est le nom de l'homme ?

LORENZO. Qu'importe ? m'es-tu dévoué ?

SCORONCONCOLO. Pour toi, je remettrais le Christ en croix.

80 **LORENZO.** Je te le dis en confidence, – je ferai le coup dans cette chambre ; et c'est précisément pour que mes chers voisins ne s'en étonnent pas, que je les accoutume à ce bruit de tous les jours. Écoute bien, et ne te trompe pas. Si je l'abats du premier coup, ne t'avise pas d'y toucher. 85 Mais je ne suis pas plus gros qu'une puce, et c'est un sanglier. S'il se défend, je compte sur toi pour lui tenir les mains ; rien de plus, entends-tu ? c'est à moi qu'il appartient. Je t'avertirai en temps et lieu.

SCORONCONCOLO. Amen.

Scène 2 *Au palais Strozzi.*
Entrent PHILIPPE *et* PIERRE.

PIERRE. Quand je pense à cela, j'ai envie de me couper la main droite. Avoir manqué cette canaille ! Un coup si juste, et l'avoir manqué ! À qui n'était-ce pas rendre service que de faire dire aux gens : il y a un Salviati de moins dans les rues ? Mais le drôle a fait comme les araignées – il s'est laissé tomber en repliant ses pattes crochues, et il a fait le mort de peur d'être achevé.

PHILIPPE. Que t'importe qu'il vive ? ta vengeance n'en est que plus complète. On le dit blessé de telle manière, qu'il s'en souviendra toute sa vie[1].

PIERRE. Oui, je le sais bien, voilà comme vous voyez les choses. Tenez, mon père, vous êtes bon patriote, mais encore meilleur père de famille ; ne vous mêlez pas de tout cela.

PHILIPPE. Qu'as-tu encore en tête ? Ne saurais-tu vivre un quart d'heure sans penser à mal ?

PIERRE. Non, par l'enfer ! je ne saurais vivre un quart d'heure tranquille dans cet air empoisonné. Le ciel me pèse sur la tête comme une voûte de prison, et il me semble que je respire dans les rues des quolibets et des hoquets d'ivrognes. Adieu, j'ai affaire à présent.

PHILIPPE. Où vas-tu ?

PIERRE. Pourquoi voulez-vous le savoir ? Je vais chez les Pazzi.

PHILIPPE. Attends-moi donc, car j'y vais aussi.

---

1. **Toute sa vie :** selon Varchi, Julien aurait reçu deux blessures l'estropiant. Musset rapproche des événements distants de trois ans, l'affaire Salviati ayant eu lieu en 1534.

PIERRE. Pas à présent, mon père, ce n'est pas un bon moment pour vous.

PHILIPPE. Parle-moi franchement.

PIERRE. Cela est entre nous. Nous sommes là une cin-
30 quantaine, les Ruccellai et d'autres, qui ne portons pas le bâtard dans nos entrailles.

PHILIPPE. Ainsi donc ?

PIERRE. Ainsi donc les avalanches se font quelquefois au moyen d'un caillou gros comme le bout du doigt.

35 **PHILIPPE.** Mais vous n'avez rien d'arrêté ? pas de plan, pas de mesures prises ? Ô enfants, enfants ! jouer avec la vie et la mort ! Des questions qui ont remué le monde ! des idées qui ont blanchi des milliers de têtes, et qui les ont fait rouler comme des grains de sable sur les pieds du
40 bourreau ! des projets que la Providence elle-même regarde en silence et avec terreur, et qu'elle laisse achever à l'homme, sans oser y toucher ! Vous parlez de tout cela en faisant des armes et en buvant un verre de vin d'Espagne, comme s'il s'agissait d'un cheval ou d'une mas-
45 carade ! Savez-vous ce que c'est qu'une république, que l'artisan au fond de son atelier, que le laboureur dans son champ, que le citoyen sur la place, que la vie entière d'un royaume ? le bonheur des hommes, Dieu de justice ! Ô enfants, enfants ! savez-vous compter sur vos doigts ?

50 **PIERRE.** Un bon coup de lancette[1] guérit tous les maux.

PHILIPPE. Guérir ! guérir ! Savez-vous que le plus petit coup de lancette doit être donné par le médecin ? Savez-vous qu'il faut une expérience longue comme la vie, et une science grande comme le monde, pour tirer du bras
55 d'un malade une goutte de sang ? N'étais-je pas offensé aussi, la nuit dernière, lorsque tu avais mis ton épée nue

---

1. **Lancette :** instrument de chirurgie servant à ouvrir une veine ou un abcès.

sous ton manteau ? Ne suis-je pas le père de ma Louise, comme tu es son frère ? N'était-ce pas une juste vengeance ? Et cependant sais-tu ce qu'elle m'a coûté ? Ah ! les pères savent cela, mais non les enfants ! Si tu es père un jour, nous en parlerons. 60

PIERRE. Vous qui savez aimer, vous devriez savoir haïr.

PHILIPPE. Qu'ont donc fait à Dieu ces Pazzi ? Ils invitent leurs amis à venir conspirer, comme on invite à jouer aux dés, et leurs amis, en entrant dans leur cour, glissent dans 65 le sang de leurs grands-pères[1]. Quelle soif ont donc leurs épées ? Que voulez-vous donc, que voulez-vous ?

PIERRE. Et pourquoi vous démentir vous-même ? Ne vous ai-je pas entendu cent fois dire ce que nous disons ? Ne savons-nous pas ce qui vous occupe, quand vos 70 domestiques voient à leur lever vos fenêtres éclairées des flambeaux de la veille ? Ceux qui passent les nuits sans dormir ne meurent pas silencieux.

PHILIPPE. Où en viendrez-vous ? réponds-moi.

PIERRE. Les Médicis sont une peste. Celui qui est mordu 75 par un serpent n'a que faire d'un médecin ; il n'a qu'à se brûler la plaie[2].

PHILIPPE. Et quand vous aurez renversé ce qui est, que voulez-vous mettre à la place ?

PIERRE. Nous sommes toujours sûrs de ne pas trouver 80 pire.

PHILIPPE. Je vous le dis, comptez sur vos doigts.

PIERRE. Les têtes d'une hydre[3] sont faciles à compter.

---

1. **Leurs grands-pères** : rappel de la conspiration des Pazzi contre les Médicis en 1478.
2. **Se brûler la plaie** : cautérisation pour éviter l'infection.
3. **Hydre** : serpent fabuleux de l'Antiquité dont les sept têtes repoussent à mesure qu'on les coupe si elles ne sont pas toutes coupées d'un seul coup.

PHILIPPE. Et vous voulez agir ? cela est décidé ?

85 **PIERRE.** Nous voulons couper les jarrets aux meurtriers de Florence.

PHILIPPE. Cela est irrévocable ? vous voulez agir ?

PIERRE. Adieu, mon père, laissez-moi aller seul.

PHILIPPE. Depuis quand le vieil aigle reste-t-il dans le 90 nid, quand ses aiglons vont à la curée[1] ? Ô mes enfants ! ma brave et belle jeunesse ! vous qui avez la force que j'ai perdue, vous qui êtes aujourd'hui ce qu'était le jeune Philippe, laissez-le avoir vieilli pour vous ! Emmène-moi, mon fils, je vois que vous allez agir. Je ne vous ferai pas de 95 longs discours, je ne dirai que quelques mots ; il peut y avoir quelque chose de bon dans cette tête grise − deux mots, et ce sera fait. Je ne radote pas encore, je ne vous serai pas à charge ; ne pars pas sans moi, mon enfant, attends que je prenne mon manteau.

100 **PIERRE.** Venez, mon noble père ; nous baiserons le bas de votre robe. Vous êtes notre patriarche, venez voir marcher au soleil les rêves de votre vie. La liberté est mûre ; venez, vieux jardinier de Florence, voir sortir de terre la plante que vous aimez.

105 *Ils sortent.*

---

1. **Curée :** moment de la chasse où l'on distribue aux chiens des morceaux de la bête abattue.

Scène 3 *Une rue.*

Un officier allemand
et des soldats, Thomas Strozzi,
au milieu d'eux.

L'OFFICIER. Si nous ne le trouvons pas chez lui, nous le trouverons chez les Pazzi.

THOMAS. Va ton train, et ne sois pas en peine ; tu sauras ce qu'il en coûte.

L'OFFICIER. Pas de menace ; j'exécute les ordres du duc, 5
et n'ai rien à souffrir de personne.

THOMAS. Imbécile ! qui arrête un Strozzi sur la parole d'un Médicis !
Il se forme un groupe autour d'eux.

UN BOURGEOIS. Pourquoi arrêtez-vous ce seigneur ? 10
nous le connaissons bien, c'est le fils de Philippe.

UN AUTRE. Lâchez-le, nous répondons pour lui.

LE PREMIER. Oui, oui, nous répondons pour les Strozzi. Laisse-le aller, ou prends garde à tes oreilles.

L'OFFICIER. Hors de là, canaille ! laissez passer la justice 15
du duc, si vous n'aimez pas les coups de hallebarde.
Pierre et Philippe arrivent.

PIERRE. Qu'y a-t-il ? quel est ce tapage ? Que fais-tu là, Thomas ?

LE BOURGEOIS. Empêche-le, Philippe, empêche-le 20
d'emmener ton fils en prison.

PHILIPPE. En prison ? et sur quel ordre ?

PIERRE. En prison ? sais-tu à qui tu as affaire ?

L'OFFICIER. Qu'on saisisse cet homme !
Les soldats arrêtent Pierre. 25

PIERRE. Lâchez-moi, misérables, ou je vous éventre comme des pourceaux !

PHILIPPE. Sur quel ordre agissez-vous, monsieur ?

L'OFFICIER, *montrant l'ordre du duc.* Voilà mon mandat.
30 J'ai ordre d'arrêter Pierre et Thomas Strozzi.
Les soldats repoussent le peuple, qui leur jette des cailloux.

PIERRE. De quoi nous accuse-t-on ? qu'avons-nous fait ? Aidez-moi, mes amis, rossons cette canaille.
Il tire son épée. Un autre détachement de soldats arrive.

35 **L'OFFICIER.** Venez ici, prêtez-moi main-forte. *(Pierre est désarmé.)* En marche ! et le premier qui approche de trop près, un coup de pique dans le ventre ! Cela leur apprendra à se mêler de leurs affaires.

PIERRE. On n'a pas le droit de m'arrêter sans un ordre des
40 Huit. Je me soucie bien des ordres d'Alexandre ! Où est l'ordre des Huit ?

L'OFFICIER. C'est devant eux que nous vous menons.

PIERRE. Si c'est devant eux, je n'ai rien à dire. De quoi suis-je accusé ?

45 **UN HOMME DU PEUPLE.** Comment, Philippe, tu laisses emmener tes enfants au tribunal des Huit[1] ?

PIERRE. Répondez donc, de quoi suis-je accusé ?

L'OFFICIER. Cela ne me regarde pas.
Les soldats sortent avec Pierre et Thomas.

50 **PIERRE,** *en sortant.* N'ayez aucune inquiétude, mon père ; les Huit me renverront souper à la maison, et le bâtard en sera pour ses frais de justice[2].

---

1. **Des Huit :** un des conseils du gouvernement à Florence, détenteur du pouvoir judiciaire.
2. **Frais de justice :** Pierre fut effectivement relâché par l'intervention de Clément VII, quatre ans auparavant.

PHILIPPE, *seul, s'asseyant sur un banc.* J'ai beaucoup d'enfants, mais pas pour longtemps, si cela va si vite. Où en sommes-nous donc si une vengeance aussi juste que le ciel que voilà est clair est punie comme un crime ! Eh quoi ! les deux aînés d'une famille vieille comme la ville, emprisonnés comme des voleurs de grand chemin ! la plus grossière insulte châtiée, un Salviati frappé, seulement frappé, et des hallebardes en jeu ! Sors donc du fourreau, mon épée. Si le saint appareil des exécutions judiciaires devient la cuirasse des ruffians et des ivrognes, que la hache et le poignard, cette arme des assassins, protègent l'homme de bien. Ô Christ ! La justice devenue une entremetteuse ! L'honneur des Strozzi soufffleté en place publique et un tribunal répondant des quolibets d'un rustre ! Un Salviati jetant à la plus noble famille de Florence son gant[1] taché de vin et de sang, et, lorsqu'on le châtie, tirant pour se défendre le coupe-tête du bourreau ! Lumière du soleil ! j'ai parlé, il n'y a pas un quart d'heure, contre les idées de révolte, et voilà le pain qu'on me donne à manger, avec mes paroles de paix sur les lèvres ! Allons ! mes bras, remuez ! et toi, vieux corps courbé par l'âge et par l'étude, redresse-toi pour l'action !
Arrive Lorenzo.

LORENZO. Demandes-tu l'aumône, Philippe, assis au coin de cette rue ?

PHILIPPE. Je demande l'aumône à la justice des hommes ; je suis un mendiant affamé de justice, et mon honneur est en haillons.

LORENZO. Quel changement va donc s'opérer dans le monde, et quelle robe nouvelle va revêtir la nature, si le masque de la colère s'est posé sur le visage auguste[2] et

---

1. **Jetant... le gant :** provoquant, défiant.
2. **Auguste :** qui inspire le respect.

paisible du vieux Philippe ? Ô mon père[1], quelles sont ces
85 plaintes ? pour qui répands-tu sur la terre les joyaux les
plus précieux qu'il y ait sous le soleil, les larmes d'un
homme[2] sans peur et sans reproche ?

PHILIPPE. Il faut nous délivrer des Médicis, Lorenzo. Tu
es un Médicis toi-même, mais seulement par ton nom. Si
90 je t'ai bien connu, si la hideuse comédie que tu joues m'a
trouvé impassible et fidèle spectateur, que l'homme sorte
de l'histrion[3] ! Si tu as jamais été quelque chose d'honnête, sois-le aujourd'hui. Pierre et Thomas sont en prison.

LORENZO. Oui, oui, je sais cela.

95 **PHILIPPE.** Est-ce là ta réponse ? Est-ce là ton visage,
homme sans épée ?

LORENZO. Que veux-tu ? dis-le, et tu auras alors ma
réponse.

PHILIPPE. Agir ! Comment, je n'en sais rien. Quel moyen
100 employer, quel levier mettre sous cette citadelle de mort[4],
pour la soulever et la pousser dans le fleuve, quoi faire,
que résoudre, quels hommes aller trouver, je ne puis le
savoir encore, mais agir, agir, agir ! Ô Lorenzo ! le temps
est venu. N'es-tu pas diffamé, traité de chien et de sans-
105 cœur ? Si je t'ai tenu en dépit de tout ma porte ouverte,
ma main ouverte, mon cœur ouvert, parle, et que je voie si
je me suis trompé. Ne m'as-tu pas parlé d'un homme qui
s'appelle aussi Lorenzo, et qui se cache derrière le Lorenzo
que voilà ? Cet homme n'aime-t-il pas sa patrie, n'est-il pas
110 dévoué à ses amis ? Tu le disais, et je l'ai cru. Parle, parle,
le temps est venu.

---

1. **Ô mon père :** marque le respect affectueux de Lorenzo pour Philippe.
2. **Larmes d'un homme :** Musset considère les larmes comme une
   manifestation d'une profondeur spirituelle (voir *La Nuit d'octobre*).
3. **Histrion :** mauvais acteur, bouffon.
4. **Citadelle de mort :** la citadelle tenue par les Allemands.

LORENZO. Si je ne suis pas tel que vous le désirez, que le soleil me tombe sur la tête !

PHILIPPE. Ami, rire d'un vieillard désespéré, cela porte malheur. Si tu dis vrai, à l'action ! J'ai de toi des promesses 115
qui engageraient Dieu lui-même, et c'est sur ces promesses que je t'ai reçu. Le rôle que tu joues est un rôle de boue et de lèpre, tel que l'enfant prodigue[1] ne l'aurait pas joué dans un jour de démence − et cependant je t'ai reçu. Quand les pierres criaient à ton passage, quand chacun de 120
tes pas faisait jaillir des mares de sang humain, je t'ai appelé du nom sacré d'ami, je me suis fait sourd pour te croire, aveugle pour t'aimer ; j'ai laissé l'ombre de ta mauvaise réputation passer sur mon honneur, et mes enfants ont douté de moi en trouvant sur ma main la trace 125
hideuse du contact de la tienne. Sois honnête, car je l'ai été ; agis, car tu es jeune, et je suis vieux.

LORENZO. Pierre et Thomas sont en prison ; est-ce là tout ?

PHILIPPE. Ô ciel et terre ! oui, c'est là tout − presque rien, 130
deux enfants de mes entrailles qui vont s'asseoir au banc des voleurs − deux têtes que j'ai baisées autant de fois que j'ai de cheveux gris, et que je vais trouver demain matin clouées sur la porte de la forteresse − oui, c'est là tout, rien de plus, en vérité. 135

LORENZO. Ne me parle pas sur ce ton. Je suis rongé d'une tristesse auprès de laquelle la nuit la plus sombre est une lumière éblouissante.
Il s'assied près de Philippe.

PHILIPPE. Que je laisse mourir mes enfants, cela est 140
impossible, vois-tu ! On m'arracherait les bras et les jambes,

---

1. **L'enfant prodigue :** dans la parabole de l'Évangile de Luc, l'enfant prodigue quitte la maison paternelle, dilapide les biens puis revient et est pardonné par le père.

que, comme le serpent, les morceaux mutilés de Philippe se rejoindraient encore et se lèveraient pour la vengeance. Je connais si bien tout cela ! Les Huit ! un tribunal d'hommes
145 de marbre ! une forêt de spectres, sur laquelle passe de temps en temps le vent lugubre du doute qui les agite pendant une minute, pour se résoudre en un mot sans appel ! Un mot, un mot, ô conscience ! Ces hommes-là mangent, ils dorment, ils ont des femmes et des filles !
150 Ah ! qu'ils tuent, qu'ils égorgent, mais pas mes enfants, pas mes enfants !

LORENZO. Pierre est un homme ; il parlera, et il sera mis en liberté.

PHILIPPE. Ô mon Pierre, mon premier-né !

155 **LORENZO.** Rentrez chez vous, tenez-vous tranquille – ou faites mieux, quittez Florence. Je vous réponds de tout, si vous quittez Florence.

PHILIPPE. Moi, un banni ! moi dans un lit d'auberge à mon heure dernière ! Ô Dieu ! et tout cela pour une parole
160 d'un Salviati !

LORENZO. Sachez-le, Salviati voulait séduire votre fille, mais non pas pour lui seul. Alexandre a un pied dans le lit de cet homme ; il y exerce le droit du seigneur sur la prostitution[1].

165 **PHILIPPE.** Et nous n'agirons pas ! Ô Lorenzo, Lorenzo ! tu es un homme ferme, toi ; parle-moi, je suis faible, et mon cœur est trop intéressé dans tout cela. Je m'épuise, vois-tu, j'ai trop réfléchi ici-bas, j'ai trop tourné sur moi-même, comme un cheval de pressoir – je ne vaux plus rien pour
170 la bataille. Dis-moi ce que tu penses ; je le ferai.

---

1. **Le droit du seigneur sur la prostitution :** Musset fait allusion au droit de cuissage, droit mythique par lequel le seigneur aurait pu profiter de l'épousée lors de la première nuit. Ici, ce droit s'appliquerait aussi aux prostituées.

LORENZO. Rentrez chez vous, mon bon monsieur.

PHILIPPE. Voilà qui est certain, je vais aller chez les Pazzi. Là sont cinquante jeunes gens, tous déterminés. Ils ont juré d'agir ; je leur parlerai noblement, comme un Strozzi et comme un père, et ils m'entendront. Ce soir, j'inviterai à 175 souper les quarante membres de ma famille ; je leur raconterai ce qui m'arrive. Nous verrons, nous verrons ! rien n'est encore fait. Que les Médicis prennent garde à eux ! Adieu, je vais chez les Pazzi ; aussi bien, j'y allais avec Pierre, quand on l'a arrêté. 180

LORENZO. Il y a plusieurs démons, Philippe. Celui qui te tente en ce moment n'est pas le moins à craindre de tous.

PHILIPPE. Que veux-tu dire ?

LORENZO. Prends-y garde, c'est un démon[1] plus beau que Gabriel[2]. La liberté, la patrie, le bonheur des hommes, 185 tous ces mots résonnent à son approche comme les cordes d'une lyre ; c'est le bruit des écailles d'argent de ses ailes flamboyantes. Les larmes de ses yeux fécondent la terre, et il tient à la main la palme des martyrs[3]. Ses paroles épurent l'air autour de ses lèvres ; son vol est si rapide, que nul ne 190 peut dire où il va. Prends-y garde ! Une fois dans ma vie, je l'ai vu traverser les cieux. J'étais courbé sur mes livres – le toucher de sa main a fait frémir mes cheveux comme une plume légère. Que je l'aie écouté ou non, n'en parlons pas. 195

PHILIPPE. Je ne te comprends qu'avec peine, et je ne sais pourquoi j'ai peur de te comprendre.

---

1. **Démon :** au double sens de divinité (*daimon* en grec) et d'ange déchu habité par l'esprit du mal.
2. **Gabriel :** l'archange qui annonce à Marie qu'elle enfanterait du fils de Dieu.
3. **Palme des martyrs :** symbole de la mort glorieuse du martyr mort pour la foi.

LORENZO. N'avez-vous dans la tête que cela — délivrer vos fils ? Mettez la main sur la conscience. — Quelque
200 autre pensée plus vaste, plus terrible, ne vous entraîne-t-elle pas comme un chariot étourdissant, au milieu de cette jeunesse ?

PHILIPPE. Eh bien ! oui, que l'injustice faite à ma famille soit le signal de la liberté. Pour moi, et pour tous, j'irai !

205 **LORENZO.** Prends garde à toi, Philippe, tu as pensé au bonheur de l'humanité.

PHILIPPE. Que veut dire ceci ? Es-tu dedans comme au-dehors une vapeur infecte ? Toi qui m'as parlé d'une liqueur précieuse dont tu étais le flacon, est-ce là ce que
210 tu renfermes ?

LORENZO. Je suis en effet précieux pour vous, car je tuerai Alexandre.

PHILIPPE. Toi ?

LORENZO. Moi, demain ou après-demain. Rentrez chez
215 vous, tâchez de délivrer vos enfants — si vous ne le pouvez pas, laissez-leur subir une légère punition — je sais pertinemment qu'il n'y a pas d'autres dangers pour eux, et je vous répète que, d'ici à quelques jours, il n'y aura pas plus d'Alexandre de Médicis à Florence, qu'il n'y a de soleil
220 à minuit.

PHILIPPE. Quand cela serait vrai, pourquoi aurais-je tort de penser à la Liberté ? Ne viendra-t-elle pas quand tu auras fait ton coup[1], si tu le fais ?

LORENZO. Philippe, Philippe, prends garde à toi. Tu as
225 soixante ans de vertu sur ta tête grise ; c'est un enjeu trop cher pour le jouer aux dés.

PHILIPPE. Si tu caches sous ces sombres paroles quelque chose que je puisse entendre, parle ; tu m'irrites singulièrement.

---

1. **Fait ton coup :** porte ton coup. Sens noble.

LORENZO. Tel que tu me vois, Philippe, j'ai été honnête. J'ai cru à la vertu, à la grandeur humaine, comme un martyr croit à son Dieu. J'ai versé plus de larmes sur la pauvre Italie, que Niobé[1] sur ses filles.   230

PHILIPPE. Eh bien, Lorenzo ?

LORENZO. Ma jeunesse a été pure comme l'or. Pendant vingt ans de silence, la foudre s'est amoncelée dans ma poitrine ; et il faut que je sois réellement une étincelle du tonnerre, car tout à coup, une certaine nuit que j'étais assis dans les ruines du Colisée antique[2], je ne sais pourquoi je me levai ; je tendis vers le ciel mes bras trempés de rosée, et je jurai qu'un des tyrans de ma patrie mourrait de ma main. J'étais un étudiant paisible, et je ne m'occupais alors que des arts et des sciences, et il m'est impossible de dire comment cet étrange serment s'est fait en moi. Peut-être est-ce là ce qu'on éprouve quand on devient amoureux.   235   240

PHILIPPE. J'ai toujours eu confiance en toi, et cependant je crois rêver.   245

LORENZO. Et moi aussi. J'étais heureux alors, j'avais le cœur et les mains tranquilles ; mon nom m'appelait au trône, et je n'avais qu'à laisser le soleil se lever et se coucher pour voir fleurir autour de moi toutes les espérances humaines. Les hommes ne m'avaient fait ni bien ni mal, mais j'étais bon, et, pour mon malheur éternel, j'ai voulu être grand. Il faut que je l'avoue, si la Providence m'a poussé à la résolution de tuer un tyran, quel qu'il fût, l'orgueil m'y a poussé aussi. Que te dirais-je de plus ? tous les Césars du monde me faisaient penser à Brutus[3].   250   255

---

1. **Niobé :** Apollon et Diane tuèrent les sept fils et sept filles de Niobé parce qu'elle avait osé se moquer de leur mère, Latone. Niobé se transforma en rocher d'où ses larmes jaillissaient en source.
2. **Colisée antique :** grand amphithéâtre de Rome achevé sous Titus en 80.
3. **Brutus :** celui-ci, assassin de César, serait mort en criant « ô vertu, tu n'es qu'un nom ».

PHILIPPE. L'orgueil de la vertu[1] est un noble orgueil. Pourquoi t'en défendrais-tu ?

LORENZO. Tu ne sauras jamais, à moins d'être fou, de
260 quelle nature est la pensée qui m'a travaillé. Pour comprendre l'exaltation fiévreuse qui a enfanté en moi le Lorenzo qui te parle, il faudrait que mon cerveau et mes entrailles fussent à nu sous un scalpel[2]. Une statue qui descendrait de son piédestal pour marcher parmi les hom-
265 mes sur la place publique serait peut-être semblable à ce que j'ai été, le jour où j'ai commencé à vivre avec cette idée : il faut que je sois un Brutus[3].

PHILIPPE. Tu m'étonnes de plus en plus.

LORENZO. J'ai voulu d'abord tuer Clément VII. Je n'ai pu
270 le faire, parce qu'on m'a banni de Rome avant le temps. J'ai recommencé mon ouvrage avec Alexandre. Je voulais agir seul, sans le secours d'aucun homme. Je travaillais pour l'humanité ; mais mon orgueil restait solitaire au milieu de tous mes rêves philanthropiques. Il fallait donc entamer
275 par la ruse un combat singulier avec mon ennemi. Je ne voulais pas soulever les masses, ni conquérir la gloire bavarde d'un paralytique comme Cicéron[4]. Je voulais arriver à l'homme, me prendre corps à corps avec la tyrannie vivante, la tuer, et après cela porter mon épée sanglante
280 sur la tribune, et laisser la fumée du sang d'Alexandre monter au nez des harangueurs[5], pour réchauffer leur cervelle ampoulée[6].

---

1. **Orgueil de la vertu :** ici, la vertu a le sens de force et de courage guerriers.
2. **Scalpel :** instrument tranchant utilisé pour les dissections.
3. **Brutus :** Lorenzo confond les deux Brutus, celui qui tua Tarquin et celui qui tua Jules César. Ils sont tous deux les avatars de la liberté républicaine.
4. **Cicéron :** écrivain et homme politique romain (106-43 av. J.-C.) à qui Lorenzo reproche de parler au lieu d'agir.
5. **Harangueurs :** orateurs professionnels.
6. **Ampoulée :** boursouflée, enflée.

PHILIPPE. Quelle tête de fer as-tu, ami ! quelle tête de fer !

LORENZO. La tâche que je m'imposais était rude avec Alexandre. Florence était, comme aujourd'hui, noyée de vin et de sang. L'empereur et le pape avaient fait un duc d'un garçon boucher. Pour plaire à mon cousin, il fallait arriver à lui, porté par les larmes des familles ; pour devenir son ami, et acquérir sa confiance, il fallait baiser sur ses lèvres épaisses tous les restes de ses orgies. J'étais pur comme un lis, et cependant je n'ai pas reculé devant cette tâche. Ce que je suis devenu à cause de cela, n'en parlons pas. Tu dois comprendre que j'ai souffert, et il y a des blessures dont on ne lève pas l'appareil[1] impunément. Je suis devenu vicieux, lâche, un objet de honte et d'opprobre[2] – qu'importe ? ce n'est pas de cela qu'il s'agit.

PHILIPPE. Tu baisses la tête ; tes yeux sont humides.

LORENZO. Non, je ne rougis point ; les masques de plâtre n'ont point de rougeur au service de la honte. J'ai fait ce que j'ai fait. Tu sauras seulement que j'ai réussi dans mon entreprise. Alexandre viendra bientôt dans un certain lieu d'où il ne sortira pas debout. Je suis au terme de ma peine, et sois certain, Philippe, que le buffle sauvage, quand le bouvier[3] l'abat sur l'herbe, n'est pas entouré de plus de filets, de plus de nœuds coulants, que je n'en ai tissus[4] autour de mon bâtard. Ce cœur, jusques auquel une armée ne serait pas parvenue en un an, il est maintenant à nu sous ma main ; je n'ai qu'à laisser tomber mon stylet pour qu'il y entre. Tout sera fait. Maintenant, sais-tu ce qui m'arrive, et ce dont je veux t'avertir ?

PHILIPPE. Tu es notre Brutus, si tu dis vrai.

---

1. **Appareil :** le pansement.
2. **Opprobre :** honte, déshonneur.
3. **Bouvier :** celui qui garde les bœufs.
4. **Tissus :** tissés.

LORENZO. Je me suis cru un Brutus, mon pauvre Philippe ; je me suis souvenu du bâton d'or couvert d'écorce[1]. Maintenant je connais les hommes, et je te conseille de ne pas t'en mêler.

PHILIPPE. Pourquoi ?

LORENZO. Ah ! vous avez vécu tout seul, Philippe. Pareil à un fanal[2] éclatant, vous êtes resté immobile au bord de l'océan des hommes, et vous avez regardé dans les eaux la réflexion de votre propre lumière. Du fond de votre solitude, vous trouviez l'océan magnifique sous le dais[3] splendide des cieux. Vous ne comptiez pas chaque flot, vous ne jetiez pas la sonde ; vous étiez plein de confiance dans l'ouvrage de Dieu. Mais moi, pendant ce temps-là, j'ai plongé – je me suis enfoncé dans cette mer houleuse de la vie – j'en ai parcouru toutes les profondeurs, couvert de ma cloche de verre[4] – tandis que vous admiriez la surface, j'ai vu les débris des naufrages, les ossements et les Léviathans[5].

PHILIPPE. Ta tristesse me fend le cœur.

LORENZO. C'est parce que je vous vois tel que j'ai été, et sur le point de faire ce que j'ai fait, que je vous parle ainsi. Je ne méprise point les hommes ; le tort des livres et des historiens est de nous les montrer différents de ce qu'ils

---

1. **Bâton... écorce :** allusion à Brutus l'ancien, dont Tite-Live rapportait qu'il avait offert à Apollon un bâton d'or caché dans une branche creuse de cornouiller, représentant métaphoriquement son esprit.
2. **Fanal :** lanterne employée sur les bateaux et pour le balisage des côtes. Métaphoriquement : ce qui éclaire et qui guide.
3. **Dais :** tenture dressée au-dessus d'un trône, d'un lit ou d'un catafalque.
4. **Cloche de verre :** Musset dans *Fantasio* (I, 2) rappelle que le penseur Jean-Paul Richter (1763-1825) a dit qu'« un homme absorbé par une grande pensée est comme un plongeur sous sa cloche, au milieu du vaste Océan ».
5. **Léviathan :** monstre marin évoqué dans la Bible, livre de Job. Désigne quelque chose de colossal et de monstrueux.

sont. La vie est comme une cité – on peut y rester cinquante ou soixante ans sans voir autre chose que des promenades et des palais – mais il ne faut pas entrer dans les tripots[1], ni s'arrêter, en rentrant chez soi, aux fenêtres des mauvais quartiers. Voilà mon avis, Philippe. – S'il s'agit de sauver tes enfants, je te dis de rester tranquille ; c'est le meilleur moyen pour qu'on te les renvoie après une petite semonce. – S'il s'agit de tenter quelque chose pour les hommes, je te conseille de te couper les bras, car tu ne seras pas longtemps à t'apercevoir qu'il n'y a que toi qui en aies. 340345

PHILIPPE. Je conçois que le rôle que tu joues t'ait donné de pareilles idées. Si je te comprends bien, tu as pris, dans un but sublime, une route hideuse, et tu crois que tout ressemble à ce que tu as vu. 350

LORENZO. Je me suis réveillé de mes rêves, rien de plus ; je te dis le danger d'en faire. Je connais la vie, et c'est une vilaine cuisine, sois-en persuadé ; ne mets pas la main là-dedans, si tu respectes quelque chose.

PHILIPPE. Arrête ! ne brise pas comme un roseau mon bâton de vieillesse. Je crois à tout ce que tu appelles des rêves ; je crois à la vertu, à la pudeur et à la liberté. 355

LORENZO. Et me voilà dans la rue, moi, Lorenzaccio ? et les enfants ne me jettent pas de la boue ? Les lits des filles sont encore chauds de ma sœur, et les pères ne prennent pas, quand je passe, leurs couteaux et leurs balais pour m'assommer ? Au fond de ces dix mille maisons que voilà, la septième génération parlera encore de la nuit où j'y suis entré, et pas une ne vomit à ma vue un valet de charrue qui me fende en deux comme une bûche pourrie ? L'air que vous respirez, Philippe, je le respire ; mon manteau de soie bariolé traîne paresseusement sur le sable fin des 360365

---

1. **Tripots :** maisons de jeu.

promenades ; pas une goutte de poison ne tombe dans
mon chocolat[1] – que dis-je ? ô Philippe ! les mères pauvres
370 soulèvent honteusement le voile de leurs filles quand je
m'arrête au seuil de leurs portes ; elles me laissent voir
leur beauté avec un sourire plus vil que le baiser de
Judas[2] – tandis que moi, pinçant le menton de la petite, je
serre les poings de rage en remuant dans ma poche quatre
375 ou cinq méchantes pièces d'or.

PHILIPPE. Que le tentateur ne méprise pas le faible ;
pourquoi tenter lorsque l'on doute ?

LORENZO. Suis-je un Satan ? Lumière du ciel ! je m'en
souviens encore ; j'aurais pleuré avec la première fille que
380 j'ai séduite, si elle ne s'était mise à rire. Quand j'ai commencé à jouer mon rôle de Brutus moderne, je marchais
dans mes habits neufs de la grande confrérie du vice,
comme un enfant de dix ans dans l'armure d'un géant de
la fable[3]. Je croyais que la corruption était un stigmate[4], et
385 que les monstres seuls le portaient au front. J'avais commencé à dire tout haut que mes vingt années de vertu
étaient un masque étouffant – ô Philippe ! j'entrai alors
dans la vie, et je vis qu'à mon approche tout le monde en
faisait autant que moi ; tous les masques tombaient
390 devant mon regard ; l'Humanité souleva sa robe, et me
montra, comme à un adepte digne d'elle, sa monstrueuse
nudité. J'ai vu les hommes tels qu'ils sont, et je me suis
dit : Pour qui est-ce donc que je travaille ? Lorsque je par-
courais les rues de Florence, avec mon fantôme à mes
395 côtés, je regardais autour de moi, je cherchais les visages

---

1. **Chocolat :** importé seulement en Europe à la fin du XVIe siècle, même
   s'il est connu dès 1527. Cet anachronisme probablement voulu montre
   la vie de luxe de Lorenzo.
2. **Baiser de Judas :** geste symbolisant la plus vile trahison.
3. **Fable :** récit mythologique.
4. **Stigmate :** cicatrice laissée sur la peau par une plaie ou une maladie ;
   allusion aux stigmates du Christ ou des saints.

qui me donnaient du cœur[1], et je me demandais : Quand j'aurai fait mon coup, celui-là en profitera-t-il ? — J'ai vu les républicains dans leurs cabinets, je suis entré dans les boutiques, j'ai écouté et j'ai guetté. J'ai recueilli les discours des gens du peuple, j'ai vu l'effet que produisait sur eux la tyrannie ; j'ai bu, dans les banquets patriotiques[2], le vin qui engendre la métaphore et la prosopopée[3], j'ai avalé entre deux baisers les larmes les plus vertueuses ; j'attendais toujours que l'Humanité me laissât voir sur sa face quelque chose d'honnête. J'observais… comme un amant observe sa fiancée, en attendant le jour des noces !… 405

PHILIPPE. Si tu n'as vu que le mal, je te plains, mais je ne puis te croire. Le mal existe, mais non pas sans le bien, comme l'ombre existe, mais non sans la lumière.

LORENZO. Tu ne veux voir en moi qu'un mépriseur 410 d'hommes ; c'est me faire injure. Je sais parfaitement qu'il y en a de bons, mais à quoi servent-ils ? que font-ils ? comment agissent-ils ? Qu'importe que la conscience soit vivante, si le bras est mort ? Il y a de certains côtés par où tout devient bon : un chien est un ami fidèle ; on peut 415 trouver en lui le meilleur des serviteurs, comme on peut voir aussi qu'il se roule sur les cadavres, et que la langue avec laquelle il lèche son maître sent la charogne d'une lieue. Tout ce que j'ai à voir, moi, c'est que je suis perdu, et que les hommes n'en profiteront pas plus qu'ils ne me 420 comprendront.

PHILIPPE. Pauvre enfant, tu me navres le cœur ! Mais si tu es honnête, quand tu auras délivré ta patrie, tu le rede-

---

1. **Cœur :** courage, au sens classique.
2. **Banquets patriotiques :** allusion aux banquets sous la monarchie de Juillet : les réunions politiques étant interdites par Louis-Philippe, les républicains prenaient le prétexte du banquet pour se réunir.
3. **Prosopopée :** figure de style par laquelle l'orateur prête le sentiment, la parole et l'action à des êtres inanimés, morts ou absents.

viendras. Cela réjouit mon vieux cœur, Lorenzo, de penser
425 que tu es honnête ; alors tu jetteras ce déguisement
hideux qui te défigure, et tu redeviendras d'un métal aussi
pur que les statues de bronze d'Harmodius et d'Aristogiton[1].

LORENZO. Philippe, Philippe, j'ai été honnête. La main qui
a soulevé une fois le voile de la vérité ne peut plus le lais-
430 ser retomber ; elle reste immobile jusqu'à la mort, tenant
toujours ce voile terrible, et l'élevant de plus en plus au-
dessus de la tête de l'homme, jusqu'à ce que l'Ange du
sommeil éternel lui bouche les yeux.

PHILIPPE. Toutes les maladies se guérissent, et le vice est
435 aussi une maladie.

LORENZO. Il est trop tard – je me suis fait à mon métier.
Le vice a été pour moi un vêtement, maintenant il est
collé à ma peau. Je suis vraiment un ruffian[2], et quand je
plaisante sur mes pareils, je me sens sérieux comme la
440 mort au milieu de ma gaieté. Brutus a fait le fou pour tuer
Tarquin, et ce qui m'étonne en lui, c'est qu'il n'y ait pas
laissé sa raison. Profite de moi, Philippe, voilà ce que j'ai à
te dire – ne travaille pas pour ta patrie.

PHILIPPE. Si je te croyais, il me semble que le ciel s'obs-
445 curcirait pour toujours, et que ma vieillesse serait
condamnée à marcher à tâtons. Que tu aies pris une route
dangereuse, cela peut être ; pourquoi ne pourrais-je en
prendre une autre qui me mènerait au même point ? Mon
intention est d'en appeler au peuple, et d'agir ouvertement.

450 **LORENZO.** Prends garde à toi, Philippe, celui qui te le dit
sait pourquoi il le dit. Prends le chemin que tu voudras, tu
auras toujours affaire aux hommes.

---

1. **Harmodius et Aristogiton :** assassins d'Hipparque (514 av. J.-C.), tyran
   d'Athènes. Les Athéniens leur dressèrent des statues comme à des
   libérateurs.
2. **Ruffian :** souteneur, proxénète.

PHILIPPE. Je crois à l'honnêteté des républicains.

LORENZO. Je te fais une gageure. Je vais tuer Alexandre ; une fois mon coup fait, si les républicains se comportent comme ils le doivent, il leur sera facile d'établir une république, la plus belle qui ait jamais fleuri sur la terre. Qu'ils aient pour eux le peuple, et tout est dit. — Je te gage que ni eux ni le peuple ne feront rien. Tout ce que je te demande, c'est de ne pas t'en mêler ; parle, si tu le veux, mais prends garde à tes paroles, et encore plus à tes actions. Laisse-moi faire mon coup — tu as les mains pures, et moi, je n'ai rien à perdre.

PHILIPPE. Fais-le, et tu verras.

LORENZO. Soit — mais souviens-toi de ceci. Vois-tu, dans cette petite maison, cette famille assemblée autour d'une table ? ne dirait-on pas des hommes ? Ils ont un corps, et une âme dans ce corps. Cependant, s'il me prenait envie d'entrer chez eux, tout seul, comme me voilà, et de poignarder leur fils aîné au milieu d'eux, il n'y aurait pas un couteau de levé sur moi.

PHILIPPE. Tu me fais horreur. Comment le cœur peut-il rester grand, avec des mains comme les tiennes ?

LORENZO. Viens, rentrons à ton palais, et tâchons de délivrer tes enfants.

PHILIPPE. Mais pourquoi tueras-tu le duc, si tu as des idées pareilles ?

LORENZO. Pourquoi ? tu le demandes ?

PHILIPPE. Si tu crois que c'est un meurtre inutile à ta patrie, pourquoi le commets-tu ?

LORENZO. Tu me demandes cela en face ? Regarde-moi un peu. J'ai été beau, tranquille et vertueux.

PHILIPPE. Quel abîme ! quel abîme tu m'ouvres !

LORENZO. Tu me demandes pourquoi je tue Alexandre ? Veux-tu donc que je m'empoisonne, ou que je saute dans

l'Arno ? veux-tu donc que je sois un spectre, et qu'en frappant sur ce squelette… *(Il frappe sa poitrine.)* il n'en sorte aucun son ? Si je suis l'ombre de moi-même, veux-tu donc que je rompe le seul fil qui rattache aujourd'hui mon
490 cœur à quelques fibres de mon cœur d'autrefois ? Songes-tu que ce meurtre, c'est tout ce qui me reste de ma vertu ? Songes-tu que je glisse depuis deux ans sur un rocher taillé à pic, et que ce meurtre est le seul brin d'herbe où j'aie pu cramponner mes ongles ? Crois-tu donc que je
495 n'aie plus d'orgueil, parce que je n'ai plus de honte ? et veux-tu que je laisse mourir en silence l'énigme de ma vie ? Oui, cela est certain, si je pouvais revenir à la vertu, si mon apprentissage du vice pouvait s'évanouir, j'épargnerais peut-être ce conducteur de bœufs. Mais j'aime le
500 vin, le jeu et les filles, comprends-tu cela ? Si tu honores en moi quelque chose, toi qui me parles, c'est mon meurtre que tu honores, peut-être justement parce que tu ne le ferais pas. Voilà assez longtemps, vois-tu, que les républicains me couvrent de boue et d'infamie ; voilà assez
505 longtemps que les oreilles me tintent, et que l'exécration des hommes empoisonne le pain que je mâche. J'en ai assez de me voir conspué[1] par des lâches sans nom, qui m'accablent d'injures pour se dispenser de m'assommer, comme ils le devraient. J'en ai assez d'entendre brailler en
510 plein vent le bavardage humain ; il faut que le monde sache un peu qui je suis, et qui il est. Dieu merci, c'est peut-être demain que je tue Alexandre ; dans deux jours j'aurai fini. Ceux qui tournent autour de moi avec des yeux louches, comme autour d'une curiosité monstrueuse
515 apportée d'Amérique, pourront satisfaire leur gosier, et vider leur sac à paroles. Que les hommes me comprennent ou non, qu'ils agissent ou n'agissent pas, j'aurai dit tout ce que j'ai à dire ; je leur ferai tailler leurs plumes, si je ne

---

1. **Conspué :** méprisé publiquement.

leur fais pas nettoyer leurs piques, et l'Humanité gardera
sur sa joue le soufflet de mon épée marqué en traits de   520
sang. Qu'ils m'appellent comme ils voudront, Brutus ou
Érostrate[1], il ne me plaît pas qu'ils m'oublient. Ma vie
entière est au bout de ma dague, et que la Providence
retourne ou non la tête en m'entendant frapper, je jette la
nature humaine à pile ou face sur la tombe d'Alexandre   525
– dans deux jours, les hommes comparaîtront devant le
tribunal de ma volonté.

PHILIPPE. Tout cela m'étonne, et il y a dans tout ce que
tu m'as dit des choses qui me font peine, et d'autres qui
me font plaisir. Mais Pierre et Thomas sont en prison, et je   530
ne saurais là-dessus m'en fier à personne qu'à moi-même.
C'est en vain que ma colère voudrait ronger son frein ;
mes entrailles sont émues trop vivement. Tu peux avoir
raison, mais il faut que j'agisse ; je vais rassembler mes
parents.   535

LORENZO. Comme tu voudras, mais prends garde à toi.
Garde-moi le secret, même avec tes amis, c'est tout ce que
je te demande.
Ils sortent.

---

1. **Érostrate :** incendia en 365 av. J.-C. le temple d'Artémis à Éphèse, une
   des Sept Merveilles du monde, afin de rendre son nom immortel.

Clefs d'analyse

Acte III, scène 3.

Compréhension

La parole

- Relever les termes qui appartiennent aux champs lexicaux de la parole et de l'action dans les répliques de Lorenzo et de Philippe.
- Relever les antithèses.

La mise en abîme

- Relever les termes qui renvoient au travestissement.
- Relever les termes qui renvoient plus spécifiquement au théâtre.

Réflexion

L'intrigue

- Expliquer pourquoi et comment les péripéties qui concernent les Strozzi amènent les confidences et le passage à l'acte de Lorenzo.
- Analyser le rôle de Philippe dans la scène.

L'individu

- Analyser les oppositions entre l'Humanité et l'individu mises en avant par Lorenzo.
- Discuter l'importance et la signification du thème du masque et indiquer quelle autre métaphore utilisée par Lorenzo doit lui être associée.

À retenir :

Une tirade est un propos long, qui trouve en lui-même son unité, prononcé par un même personnage. La tirade doit être distinguée de la réplique, qui est un propos bref répondant à une parole précédente, prononcée par un autre personnage.

Scène 4

Au palais Soderini.
Entre CATHERINE, *lisant*
un billet.

« Lorenzo a dû vous parler de moi, mais qui pourrait vous 5
parler dignement d'un amour pareil au mien ? Que ma
plume vous apprenne ce que ma bouche ne peut vous
dire, et ce que mon cœur voudrait signer de son sang. »

Alexandre de Médicis.

Si mon nom n'était pas sur l'adresse, je croirais que le mes- 10
sager s'est trompé, et ce que je lis me fait douter de mes
yeux. *(Entre Marie.)* Ô ma mère chérie ! voyez ce qu'on
m'écrit ; expliquez-moi, si vous pouvez, ce mystère.

MARIE. Malheureuse, malheureuse ! il t'aime ! Où t'a-t-il
vue ? où lui as-tu parlé ? 15

CATHERINE. Nulle part ; un messager m'a apporté cela
comme je sortais de l'église.

MARIE. Lorenzo, dit-il, a dû te parler de lui ! Ah !
Catherine, avoir un fils pareil ! Oui, faire de la sœur de sa 20
mère la maîtresse du duc, non pas même la maîtresse, ô
ma fille ! Quels noms portent ces créatures ? je ne puis le
dire ; oui, il manquait cela à Lorenzo. Viens, je veux lui
porter cette lettre ouverte, et savoir, devant Dieu, comment il répondra. 25

CATHERINE. Je croyais que le duc aimait... pardon, ma
mère... mais je croyais que le duc aimait la comtesse
Cibo[1]... on me l'avait dit...

MARIE. Cela est vrai, il l'a aimée, s'il peut aimer.

30

---

1. **Comtesse Cibo :** par inadvertance, peut-être, Musset donne ce titre à
Cibo – il avait pensé le lui donner dans les premières versions de l'œuvre.

25 **CATHERINE.** Il ne l'aime plus ? Ah ! comment peut-on offrir sans honte un cœur pareil ! Venez, ma mère, venez chez Lorenzo.

MARIE. Donne-moi ton bras. Je ne sais ce que j'éprouve depuis quelques jours, j'ai eu la fièvre toutes les nuits – il
30 est vrai que, depuis trois mois, elle ne me quitte guère. J'ai trop souffert, ma pauvre Catherine ; pourquoi m'as-tu lu cette lettre ? je ne puis plus rien supporter. Je ne suis plus jeune, et cependant il me semble que je le redeviendrais à certaines conditions ; mais tout ce que je vois m'entraîne
35 vers la tombe. Allons, soutiens-moi, pauvre enfant, je ne te donnerai pas longtemps cette peine.
Elles sortent.

Scène 5 *Chez la marquise.*

LA MARQUISE, *parée, devant un miroir.* Quand je pense que cela est, cela me fait l'effet d'une nouvelle qu'on m'apprendrait tout à coup. Quel précipice que la vie ! Comment ! il est déjà neuf heures, et c'est le duc que j'attends dans cette toilette ! N'importe, advienne que pourra, je veux essayer mon pouvoir. 5

Entre le cardinal.

LE CARDINAL. Quelle parure, marquise ! voilà des fleurs qui embaument.

LA MARQUISE. Je ne puis vous recevoir, cardinal – j'attends 10 une amie – vous m'excuserez.

LE CARDINAL. Je vous laisse, je vous laisse. Ce boudoir dont j'aperçois la porte entr'ouverte là-bas, c'est un petit paradis. Irai-je vous y attendre ?

LA MARQUISE. Je suis pressée, pardonnez-moi – non – 15 pas dans mon boudoir[1] – où vous voudrez.

LE CARDINAL. Je reviendrai dans un moment plus favorable.
Il sort.

LA MARQUISE. Pourquoi toujours le visage de ce prêtre ? Quels cercles décrit donc autour de moi ce vautour à tête 20 chauve, pour que je le trouve sans cesse derrière moi quand je me retourne ? Est-ce que l'heure de ma mort serait proche[2] ? *(Entre un page qui lui parle à l'oreille.)* C'est bon, j'y vais. Ah ! ce métier de servante, tu n'y es pas fait, pauvre cœur orgueilleux. 25

Elle sort.

---

1. **Boudoir :** petit salon de dame (XVIIIe siècle).
2. **Serait proche :** les vautours, d'après la tradition populaire, volent au-dessus des agonisants en attendant leur dernier soupir afin de les dévorer.

Scène 6 *Le boudoir de la marquise.*
LA MARQUISE, LE DUC.

LA MARQUISE. C'est ma façon de penser — je t'aimerais ainsi.

LE DUC. Des mots, des mots[1], et rien de plus.

LA MARQUISE. Vous autres hommes, cela est si peu pour
5   vous ! Sacrifier le repos de ses jours, la sainte chasteté de
l'honneur, quelquefois ses enfants même — ne vivre que
pour un seul être au monde — se donner, enfin, se donner,
puisque cela s'appelle ainsi ! Mais cela n'en vaut pas la
peine ! à quoi bon écouter une femme ? une femme qui
10   parle d'autre chose que de chiffons et de libertinage, cela
ne se voit pas.

LE DUC. Vous rêvez tout éveillée.

LA MARQUISE. Oui, par le ciel ! oui, j'ai fait un rêve !
— hélas les rois seuls n'en font jamais — toutes les chimères[2]
15   de leurs caprices se transforment en réalités, et leurs cau-
chemars eux-mêmes se changent en marbre. Alexandre !
Alexandre ! quel mot que celui-là : Je peux si je veux !
— Ah ! Dieu lui-même n'en sait pas plus ! devant ce mot,
les mains des peuples se joignent dans une prière crain-
20   tive, et le pâle troupeau des hommes retient son haleine
pour écouter.

LE DUC. N'en parlons plus, ma chère, cela est fatigant.

LA MARQUISE. Être un roi, sais-tu ce que c'est ? Avoir au
bout de son bras cent mille mains ! Être le rayon de soleil
25   qui sèche les larmes des hommes ! Être le bonheur et le
malheur ! Ah ! quel frisson mortel cela donne ! Comme il

---

1. **Des mots, des mots :** parodie de Shakespeare, *Hamlet*, II, 2 : « Words, words, words. »
2. **Chimères :** illusions, idées fausses ou trompeuses.

tremblerait, ce vieux du Vatican[1], si tu ouvrais tes ailes, toi, mon aiglon ! César est si loin ! la garnison t'est si dévouée ! Et, d'ailleurs, on égorge une armée, mais l'on n'égorge pas un peuple. Le jour où tu auras pour toi la nation tout entière, où tu seras la tête d'un corps libre, où tu diras : « Comme le doge de Venise épouse l'Adriatique[2], ainsi je mets mon anneau d'or au doigt de ma belle Florence, et ses enfants sont mes enfants... » Ah ! sais-tu ce que c'est qu'un peuple qui prend son bienfaiteur dans ses bras ? Sais-tu ce que c'est que d'être montré par un père à son enfant ?

LE DUC. Je me soucie de l'impôt ; pourvu qu'on le paye, que m'importe ?

LA MARQUISE. Mais enfin, on t'assassinera. — Les pavés sortiront de terre et t'écraseront[3]. Ah ! la Postérité ! N'as-tu jamais vu ce spectre-là au chevet de ton lit ? Ne t'es-tu jamais demandé ce que penseront de toi ceux qui sont dans le ventre des vivants ? Et tu vis, toi — il est encore temps ! Tu n'as qu'un mot à dire. Te souviens-tu du père de la patrie[4] ? Va, cela est facile d'être un grand roi, quand on est roi. Déclare Florence indépendante, réclame l'exécution du traité avec l'empire[5], tire ton épée, et montre-la — ils te diront de la remettre au fourreau, que ses éclairs leur font mal aux yeux. Songe donc comme tu es jeune ! Rien n'est décidé sur ton compte. — Il y a dans le cœur des peuples de larges indulgences pour les princes[6], et la

---

1. **Ce vieux du Vatican :** Paul III, qui était alors âgé de soixante et onze ans.
2. **Adriatique :** le doge de Venise célèbre tous les ans, à l'Ascension, ses noces avec l'Adriatique en y jetant un anneau d'or.
3. **T'écraseront :** allusion aux barricades constituées de pavés et dressées lors des journées révolutionnaires de juillet 1830.
4. **Le père de la patrie :** Côme l'Ancien.
5. **Traité avec l'empire :** traité signé par Clément VII et Charles Quint en 1527 ou Acte de capitulation de 1530.
6. **Les princes :** les souverains.

reconnaissance publique est un profond fleuve d'oubli pour leurs fautes passées. On t'a mal conseillé, on t'a
55 trompé — mais il est encore temps — tu n'as qu'à dire — tant que tu es vivant, la page n'est pas tournée dans le livre de Dieu.

LE DUC. Assez, ma chère, assez.

LA MARQUISE. Ah ! quand elle le sera ! quand un misé-
60 rable jardinier, payé à la journée, viendra arroser à contre-cœur quelques chétives marguerites autour du tombeau d'Alexandre — quand les pauvres respireront gaiement l'air du ciel, et n'y verront plus planer le sombre météore de ta puissance — quand ils parleront de toi en secouant la tête
65 — quand ils compteront autour de ta tombe les tombes de leurs parents — es-tu sûr de dormir tranquille dans ton dernier sommeil ? — Toi qui ne vas pas à la messe, et qui ne tiens qu'à l'impôt, es-tu sûr que l'Éternité soit sourde, et qu'il n'y ait pas un écho de la vie dans le séjour hideux
70 des trépassés ? Sais-tu où vont les larmes des peuples, quand le vent les emporte ?

LE DUC. Tu as une jolie jambe.

LA MARQUISE. Écoute-moi ; tu es étourdi, je le sais, mais tu n'es pas méchant ; non, sur Dieu, tu ne l'es pas, tu ne
75 peux pas l'être. Voyons, fais-toi violence — réfléchis un ins-tant, un seul instant, à ce que je te dis. N'y a-t-il rien dans tout cela ? Suis-je décidément une folle ?

LE DUC. Tout cela me passe bien par la tête, mais qu'est-ce que je fais donc de si mal ? Je vaux bien mes voisins ; je
80 vaux, ma foi, mieux que le pape. Tu me fais penser aux Strozzi avec tous tes discours — et tu sais que je les déteste. Tu veux que je me révolte contre César — César est mon beau-père[1], ma chère amie. Tu te figures que les Florentins

---

1. **Mon beau-père :** Charles Quint, puisque Alexandre avait épousé en 1536 sa fille naturelle, Marguerite d'Autriche.

ne m'aiment pas – je suis sûr qu'ils m'aiment, moi. Eh !
parbleu, quand tu aurais raison, de qui veux-tu que j'aie   85
peur ?

LA MARQUISE. Tu n'as pas peur de ton peuple – mais tu
as peur de l'empereur. Tu as tué ou déshonoré des cen-
taines de citoyens, et tu crois avoir tout fait quand tu mets
une cotte de mailles sous ton habit.   90

LE DUC. Paix ! point de ceci.

LA MARQUISE. Ah ! je m'emporte, je dis ce que je ne
veux pas dire. Mon ami, qui ne sait pas que tu es brave ?
Tu es brave comme tu es beau. Ce que tu as fait de mal,
c'est ta jeunesse, c'est ta tête – que sais-je, moi ? c'est le   95
sang qui coule violemment dans ces veines brûlantes, c'est
ce soleil étouffant qui nous pèse. – Je t'en supplie, que je
ne sois pas perdue sans ressource ; que mon nom, que
mon pauvre amour pour toi ne soit pas inscrit sur une
liste infâme. Je suis une femme, c'est vrai, et si la beauté   100
est tout pour les femmes, bien d'autres valent mieux que
moi. Mais n'as-tu rien, dis-moi – dis-moi donc, toi !
voyons ! n'as-tu donc rien, rien là ?
Elle lui frappe le cœur.

LE DUC. Quel démon ! Assois-toi donc là, ma petite.   105

LA MARQUISE. Eh bien ! oui, je veux bien l'avouer, oui,
j'ai de l'ambition, non pas pour moi – mais toi ! toi, et ma
chère Florence ! – Ô Dieu ! tu m'es témoin de ce que je
souffre !

LE DUC. Tu souffres ? qu'est-ce que tu as ?   110

LA MARQUISE. Non, je ne souffre pas. Écoute ! écoute !
Je vois que tu t'ennuies auprès de moi. Tu comptes les
moments, tu détournes la tête – ne t'en va pas encore –
c'est peut-être la dernière fois que je te vois. Écoute ! je te
dis que Florence t'appelle sa peste nouvelle, et qu'il n'y a   115
pas une chaumière où ton portrait ne soit collé sur les
murailles, avec un coup de couteau dans le cœur. Que je

sois folle, que tu me haïsses demain, que m'importe ? tu sauras cela !

120 **LE DUC.** Malheur à toi, si tu joues avec ma colère !

LA MARQUISE. Oui, malheur à moi ! malheur à moi !

LE DUC. Une autre fois — demain matin, si tu veux — nous pourrons nous revoir et parler de cela. Ne te fâche pas, si je te quitte à présent ; il faut que j'aille à la chasse.

125 **LA MARQUISE.** Oui, malheur à moi ! malheur à moi !

LE DUC. Pourquoi ? Tu as l'air sombre comme l'enfer. Pourquoi diable aussi te mêles-tu de politique ? Allons, allons ! ton petit rôle de femme, et de vraie femme, te va si bien ! Tu es trop dévote ; cela se formera. Aide-moi donc à
130 remettre mon habit ; je suis tout débraillé.

LA MARQUISE. Adieu, Alexandre.
Le duc l'embrasse. — Entre le cardinal.

LE CARDINAL. Ah ! — Pardon, Altesse, je croyais ma sœur[1] toute seule. Je suis un maladroit ; c'est à moi d'en
135 porter la peine. Je vous supplie de m'excuser.

LE DUC. Comment l'entendez-vous ? Allons donc ! Malaspina, voilà qui sent le prêtre. Est-ce que vous devez voir ces choses-là ? Venez donc, venez donc ; que diable est-ce que cela vous fait ?
140 *Ils sortent ensemble.*

LA MARQUISE, *seule, tenant le portrait de son mari.* Où es-tu maintenant, Laurent ? Il est midi passé. Tu te promènes sur la terrasse, devant les grands marronniers. Autour de toi paissent tes génisses grasses ; tes garçons de
145 ferme dînent à l'ombre. La pelouse soulève son manteau blanchâtre aux rayons du soleil ; les arbres, entretenus par tes soins, murmurent religieusement sur la tête blanche de leur vieux maître, tandis que l'écho de nos longues

---

1. **Ma sœur :** ma belle-sœur.

arcades répète avec respect le bruit de ton pas tranquille. Ô mon Laurent ! j'ai perdu le trésor de ton honneur, j'ai voué au ridicule et au doute les dernières années de ta noble vie. Tu ne presseras plus sur ta cuirasse un cœur digne du tien ; ce sera une main tremblante qui t'apportera ton repas du soir quand tu rentreras de la chasse. 150

Scène 7 *Chez les Strozzi.*
LES QUARANTE STROZZI, à souper.

PHILIPPE. Mes enfants, mettons-nous à table.

LES CONVIVES. Pourquoi reste-t-il deux sièges vides ?

PHILIPPE. Pierre et Thomas sont en prison.

LES CONVIVES. Pourquoi ?

PHILIPPE. Parce que Salviati a insulté ma fille, que voilà, à 5 la foire de Montolivet, publiquement, et devant son frère Léon. Pierre et Thomas ont tué Salviati[1], et Alexandre de Médicis les a fait arrêter pour venger la mort de son ruffian.

LES CONVIVES. Meurent les Médicis !

PHILIPPE. J'ai rassemblé ma famille pour lui raconter mes 10 chagrins, et la prier de me secourir. Soupons, et sortons ensuite l'épée à la main, pour redemander mes deux fils, si vous avez du cœur.

LES CONVIVES. C'est dit ; nous voulons bien.

PHILIPPE. Il est temps que cela finisse, voyez-vous ! on 15 nous tuerait nos enfants et on déshonorerait nos filles. Il est temps que Florence apprenne à ces bâtards ce que c'est que le droit de vie et de mort. Les Huit n'ont pas le droit de condamner mes enfants ; et moi, je n'y survivrais pas.

---

1. **Ont tué Salviati :** pourtant, Philippe sait qu'il n'a été que blessé.

20   **LES CONVIVES.** N'aie pas peur, Philippe, nous sommes là.

PHILIPPE. Je suis le chef de la famille ; comment souffrirais-je qu'on m'insultât ? Nous sommes tout autant que les Médicis, les Ruccellai tout autant, les Aldobrandini et vingt autres. Pourquoi ceux-là pourraient-ils faire égorger
25   nos enfants plutôt que nous les leurs[1] ? Qu'on allume un tonneau de poudre dans les caves de la citadelle, et voilà la garnison allemande en déroute. Que reste-t-il à ces Médicis ? Là est leur force ; hors de là, ils ne sont rien. Sommes-nous des hommes ? Est-ce à dire qu'on abattra
30   d'un coup de hache les nobles familles de Florence, et qu'on arrachera de la terre natale des racines aussi vieilles qu'elle ? C'est par nous qu'on commence, c'est à nous de tenir ferme. Notre premier cri d'alarme, comme le coup de sifflet de l'oiseleur, va rabattre sur Florence une armée
35   tout entière d'aigles chassés du nid. Ils ne sont pas loin ; ils tournoient autour de la ville, les yeux fixés sur ses clochers. Nous y planterons le drapeau noir de la peste[2] ; ils accourront à ce signal de mort. Ce sont les couleurs de la colère céleste. Ce soir, allons d'abord délivrer nos fils ;
40   demain, nous irons tous ensemble, l'épée nue, à la porte de toutes les grandes familles. Il y a à Florence quatre-vingts palais, et de chacun d'eux sortira une troupe pareille à la nôtre, quand la Liberté y frappera.

LES CONVIVES. Vive la liberté !

45   **PHILIPPE.** Je prends Dieu à témoin que c'est la violence qui me force à tirer l'épée, que je suis resté durant soixante ans bon et paisible citoyen, que je n'ai jamais fait de mal à qui que ce soit au monde, et que la moitié de ma fortune a été employée à secourir les malheureux.

---

1. **Plutôt que nous les leurs :** Musset fait allusion à l'histoire de Florence, faite des guerres que se livrèrent les grandes familles de la ville.
2. **La peste :** écho de la peste consécutive au siège de Florence (1529-1530) ou à des épidémies de peste antérieures (1348 ?).

LES CONVIVES. C'est vrai.

PHILIPPE. C'est une juste vengeance qui me pousse à la révolte, et je me fais rebelle parce que Dieu m'a fait père. Je ne suis poussé par aucun motif d'ambition, ni d'intérêt, ni d'orgueil. Ma cause est loyale, honorable et sacrée. Emplissez vos coupes et levez-vous. Notre vengeance est une hostie que nous pouvons briser sans crainte, et partager devant Dieu. Je bois à la mort des Médicis !

LES CONVIVES *se lèvent et boivent.* À la mort des Médicis !

LOUISE, *posant son verre.* Ah ! je vais mourir.

PHILIPPE. Qu'as-tu, ma fille, mon enfant bien-aimée ? qu'as-tu, mon Dieu ! que t'arrive-t-il ? Mon Dieu, mon Dieu, comme tu pâlis ! parle, qu'as-tu ? parle à ton père. Au secours ! au secours ! Un médecin ! Vite, vite, il n'est plus temps.

LOUISE. Je vais mourir, je vais mourir.
Elle meurt.

PHILIPPE. Elle s'en va, mes amis, elle s'en va ! Un médecin ! ma fille est empoisonnée !
Il tombe à genoux près de Louise.

UN CONVIVE. Coupez son corset ! faites-lui boire de l'eau tiède ; si c'est du poison, il faut de l'eau tiède.
Les domestiques accourent.

UN AUTRE CONVIVE. Frappez-lui dans les mains, ouvrez les fenêtres, et frappez-lui dans les mains.

UN AUTRE. Ce n'est peut-être qu'un étourdissement ; elle aura bu avec trop de précipitation.

UN AUTRE. Pauvre enfant ! comme ses traits sont calmes ! Elle ne peut pas être morte ainsi tout d'un coup.

PHILIPPE. Mon enfant ! es-tu morte, es-tu morte, Louise, ma fille bien-aimée ?

LE PREMIER CONVIVE. Voilà le médecin qui accourt.
Un médecin entre.

LE SECOND CONVIVE. Dépêchez-vous, monsieur ; dites-nous si c'est du poison.

85 PHILIPPE. C'est un étourdissement, n'est-ce pas ?

LE MÉDECIN. Pauvre jeune fille ! elle est morte[1].
Un profond silence règne dans la salle ; Philippe est toujours à genoux auprès de Louise et lui tient les mains.

UN DES CONVIVES. C'est du poison des Médicis. Ne lais-
90 sons pas Philippe dans l'état où il est. Cette immobilité est effrayante.

UN AUTRE. Je suis sûr de ne pas me tromper. Il y avait autour de la table un domestique qui a appartenu à la femme de Salviati.

95 UN AUTRE. C'est lui qui a fait le coup, sans aucun doute. Sortons, et arrêtons-le.
Ils sortent.

LE PREMIER CONVIVE. Philippe ne veut pas répondre à ce qu'on lui dit ; il est frappé de la foudre.

100 UN AUTRE. C'est horrible ! C'est un meurtre inouï !

UN AUTRE. Cela crie vengeance au ciel ! Sortons, et allons égorger Alexandre.

UN AUTRE. Oui, sortons ; mort à Alexandre ! C'est lui qui a tout ordonné. Insensés que nous sommes ! ce n'est pas
105 d'hier que date sa haine contre nous. Nous agissons trop tard.

UN AUTRE. Salviati n'en voulait pas à cette pauvre Louise pour son propre compte ; c'est pour le duc qu'il travaillait. Allons, partons, quand on devrait nous tuer jusqu'au dernier.

PHILIPPE *se lève.* Mes amis, vous enterrerez ma pauvre
110 fille, n'est-ce pas ? *(Il met son manteau.)* dans mon jardin, derrière les figuiers. Adieu, mes bons amis ; adieu, portez-vous bien.

---

1. **Elle est morte :** cette mort eut lieu en réalité en 1534, bien avant le meurtre d'Alexandre.

UN CONVIVE. Où vas-tu, Philippe ?

PHILIPPE. J'en ai assez, voyez-vous ; j'en ai autant que j'en puis porter. J'ai mes deux fils en prison, et voilà ma fille morte. J'en ai assez, je m'en vais d'ici.

UN CONVIVE. Tu t'en vas ? tu t'en vas sans vengeance ?

PHILIPPE. Oui, oui. Ensevelissez[1] seulement ma pauvre fille, mais ne l'enterrez pas, c'est à moi de l'enterrer. Je le ferai à ma façon, chez de pauvres moines que je connais, et qui viendront la chercher demain. À quoi sert-il de la regarder ? elle est morte ; ainsi cela est inutile. Adieu, mes amis, rentrez chez vous ; portez-vous bien.

UN CONVIVE. Ne le laissez pas sortir, il a perdu la raison.

UN AUTRE. Quelle horreur ! je me sens prêt à m'évanouir dans cette salle.
Il sort.

PHILIPPE. Ne me faites pas violence, ne m'enfermez pas dans une chambre où est le cadavre de ma fille – laissez-moi m'en aller.

UN CONVIVE. Venge-toi, Philippe, laisse-nous te venger. Que ta Louise soit notre Lucrèce[2] ! Nous ferons boire à Alexandre le reste de son verre.

UN AUTRE. La nouvelle Lucrèce ! Nous allons jurer sur son corps de mourir pour la liberté ! Rentre chez toi, Philippe, pense à ton pays. Ne rétracte pas tes paroles.

PHILIPPE. Liberté, vengeance, voyez-vous, tout cela est beau. J'ai deux fils en prison, et voilà ma fille morte. Si je reste ici, tout va mourir autour de moi ; l'important, c'est que je m'en aille, et que vous vous teniez tranquilles. Quand ma porte et mes fenêtres seront fermées, on ne pensera plus aux Strozzi ; si elles restent ouvertes, je m'en

---

1. **Ensevelissez :** enveloppez dans un linceul.
2. **Lucrèce :** allusion à la victime de Tarquin.

vais vous voir tomber tous les uns après les autres. Je suis vieux, voyez-vous, il est temps que je ferme ma boutique.

145 Adieu, mes amis, restez tranquilles ; si je n'y suis plus, on ne vous fera rien. Je m'en vais de ce pas à Venise[1].

UN CONVIVE. Il fait un orage épouvantable ; reste ici cette nuit.

PHILIPPE. N'enterrez pas ma pauvre enfant ; mes vieux
150 moines viendront demain, et ils l'emporteront. Dieu de justice ! Dieu de justice ! que t'ai-je fait ?
Il sort en courant.

---

1. **Venise :** Philippe partit en fait en exil avant la mort de Louise en 1534.

Synthèse Acte III

Des héros déchirés

Personnages
Dévoilement de Lorenzo

La personnalité du héros éponyme, Lorenzo, se dévoile. Il livre les éléments essentiels de sa biographie et de son caractère à Scoronconcolo, puis à Philippe Strozzi. Jusque-là, seuls des éléments indirects indiquaient au spectateur que Lorenzo n'était pas (seulement) le débauché mondain et parasite de la cour d'Alexandre. Les regrets de sa mère sur sa vertu passée et l'affaire du vol de la cotte de mailles laissaient planer une ambiguïté. Cependant, pour les spectateurs comme pour les autres personnages de la pièce, Lorenzo demeurait une énigme. L'acte III apparaît de ce point de vue comme une libération de la parole de Lorenzo. Celle-ci dévoile une vérité difficile, un Moi déchiré, qui fait de Lorenzo le prototype du héros romantique, foncièrement double. C'est seulement à partir de cet acte que la pièce prend réellement pour centre le rôle-titre : Lorenzo apparaît enfin comme un personnage sympathique, et le public est désormais mieux renseigné sur sa personne que n'importe quel personnage de la pièce. Jusque-là bouffon, il endosse le costume du Vengeur. Agent de la seule véritable action, le meurtre du duc, Lorenzo est aussi, à la faveur de son comportement marginal et de ses interventions dérangeantes, un révélateur des caractères et des défauts des différents personnages.

Langage
Des dialogues antithétiques

Les répliques et les tirades sont marquées par l'emploi répété des antithèses. Ces rapprochements de termes antinomiques concernent essentiellement la dichotomie entre action et langage. Une méfiance généralisée semble ainsi s'installer à l'égard du langage, qui se traduit dans son organisation même.

Synthèse Acte III

Société

La notion d'amour romantique

La marquise est l'un des très rares personnages féminins de la pièce. Ceux-ci sont en effet conçus d'emblée comme des personnages secondaires. Musset les a placés à la fin de la première didascalie, derrière les bourgeois et les écuyers, tout en bas de l'échelle sociale. Cependant, à travers le personnage de la marquise Cibo point un des thèmes centraux du romantisme, l'amour, qui est presque totalement absent de la pièce. La démarche de la marquise, qui pense pouvoir changer le duc grâce à son amour, est caractéristique de l'amour romantique. Musset dénonce dans *Lorenzaccio*, comme dans *On ne badine pas avec l'amour*, qui paraît dans la même livraison du *Spectacle dans un fauteuil*, les faux-semblants et les simulacres, délétères en politique comme en amour. Le véritable amour, qui transfigure l'être, n'est cependant pas celui de la marquise pour le duc, rendu impossible par le libertinage de celui-ci. C'est celui qui s'exprime au travers du meurtre du duc, transfiguré en noces, qui n'apparaît qu'à l'acte IV.

ACTE IV

Scène 1 *Au palais du duc.*
Entrent LE DUC *et* LORENZO.

LE DUC. J'aurais voulu être là ; il devait y avoir plus d'une face en colère. Mais je ne conçois pas qui a pu empoisonner cette Louise.

LORENZO. Ni moi non plus, à moins que ce ne soit vous.

LE DUC. Philippe doit être furieux[1] ! On dit qu'il est parti pour Venise. Dieu merci, me voilà délivré de ce vieillard insupportable. Quant à la chère famille, elle aura la bonté de se tenir tranquille. Sais-tu qu'ils ont failli faire une petite révolution dans leur quartier ? On m'a tué deux Allemands.

LORENZO. Ce qui me fâche le plus, c'est que cet honnête Salviati a une jambe coupée. Avez-vous retrouvé votre cotte de mailles ?

LE DUC. Non, en vérité ; j'en suis plus mécontent que je ne puis le dire.

LORENZO. Méfiez-vous de Giomo ; c'est lui qui vous l'a volée. Que portez-vous à la place ?

LE DUC. Rien ; je ne puis en supporter une autre ; il n'y en a pas d'aussi légère que celle-là.

LORENZO. Cela est fâcheux pour vous.

LE DUC. Tu ne me parles pas de ta tante.

LORENZO. C'est par oubli, car elle vous adore ; ses yeux ont perdu le repos depuis que l'astre de votre amour s'est levé dans son pauvre cœur. De grâce, seigneur, ayez quelque pitié pour elle ; dites quand vous voulez la recevoir, et à quelle heure il lui sera loisible[2] de vous sacrifier le peu de vertu qu'elle a.

---

1. **Furieux :** rendu fou par la douleur.
2. **Loisible :** permis.

LE DUC. Parles-tu sérieusement ?

LORENZO. Aussi sérieusement que la Mort elle-même. Je voudrais voir qu'une tante à moi ne couchât pas avec
30 vous.

LE DUC. Où pourrais-je la voir ?

LORENZO. Dans ma chambre, seigneur. Je ferai mettre des rideaux blancs à mon lit et un pot de réséda[1] sur ma table ; après quoi je coucherai par écrit sur votre calepin[2]
35 que ma tante sera en chemise à minuit précis, afin que vous ne l'oubliiez pas après souper.

LE DUC. Je n'ai garde[3]. Peste ! Catherine est un morceau de roi. Eh ! dis-moi, habile garçon, tu es vraiment sûr qu'elle viendra ? Comment t'y es-tu pris ?

40 **LORENZO.** Je vous dirai cela.

LE DUC. Je m'en vais voir un cheval que je viens d'acheter ; adieu et à ce soir. Viens me prendre après souper ; nous irons ensemble à ta maison ; quant à la Cibo, j'en ai par-dessus les oreilles ; hier encore, il a fallu l'avoir sur le
45 dos pendant toute la chasse[6]. Bonsoir, mignon.
Il sort.

LORENZO, *seul.* Ainsi, c'est convenu. Ce soir je l'emmène chez moi, et demain les républicains verront ce qu'ils ont à faire, car le duc de Florence sera mort. Il faut que j'avertisse Scoronconcolo. Dépêche-toi, soleil, si tu es curieux
50 des nouvelles que cette nuit te dira demain.
Il sort.

---

1. **Réséda :** plante appelée « herbe d'amour » que les jeunes filles du XIXe siècle disposaient sur le rebord de leur fenêtre. Terme apparu en 1562 mais inusité jusqu'en 1659, vient du latin *resedare*, « calmer ».
2. **Calepin :** carnet (anachronique).
3. **Je n'ai garde :** je ne risque pas.

Scène 2 *Une rue.*
PIERRE *et* THOMAS STROZZI,
sortant de prison.

PIERRE. J'étais bien sûr que les Huit me renverraient
absous ; et toi aussi. Viens, frappons à notre porte, et
allons embrasser notre père. Cela est singulier, les volets
sont fermés !

LE PORTIER, *ouvrant.* Hélas ! seigneur, vous savez les ₅
nouvelles.

PIERRE. Quelles nouvelles ? tu as l'air d'un spectre qui
sort d'un tombeau, à la porte de ce palais désert.

LE PORTIER. Est-il possible que vous ne sachiez rien ?
Deux moines arrivent. ₁₀

THOMAS. Et que pourrions-nous savoir ? Nous sortons de
prison. Parle, qu'est-il arrivé ?

LE PORTIER. Hélas ! mes pauvres seigneurs, cela est horrible à dire.

LES MOINES, *s'approchant.* Est-ce ici le palais des Strozzi ? ₁₅

LE PORTIER. Oui ; que demandez-vous ?

LES MOINES. Nous venons chercher le corps de Louise
Strozzi. Voilà l'autorisation de Philippe, afin que vous nous
laissiez l'emporter.

PIERRE. Comment dites-vous ? Quel corps demandez- ₂₀
vous ?

LES MOINES. Éloignez-vous, mon enfant, vous portez sur
votre visage la ressemblance de Philippe ; il n'y a rien de
bon à apprendre ici pour vous.

THOMAS. Comment ? elle est morte ? morte ? ô Dieu du ₂₅
ciel !
Il s'assoit à l'écart.

PIERRE. Je suis plus ferme[1] que vous ne pensez. Qui a tué ma sœur ? car on ne meurt pas à son âge dans l'espace
30 d'une nuit, sans une cause extraordinaire. Qui l'a tuée, que je le tue ? Répondez-moi, ou vous êtes mort vous-même.

LE PORTIER. Hélas, hélas ! qui peut le dire ? Personne n'en sait rien.

PIERRE. Où est mon père ? Viens, Thomas, point de larmes.
35 Par le ciel ! mon cœur se serre comme s'il allait s'ossifier dans mes entrailles, et rester un rocher pour l'éternité.

LES MOINES. Si vous êtes le fils de Philippe, venez avec nous. Nous vous conduirons à lui ; il est depuis hier à notre couvent.

40 **PIERRE.** Et je ne saurai pas qui a tué ma sœur ? Écoutez-moi, prêtres ; si vous êtes l'image de Dieu, vous pouvez recevoir un serment. Par tout ce qu'il y a d'instruments de supplice sous le ciel, par les tortures de l'enfer… Non, je ne veux pas dire un mot. Dépêchons-nous, que je voie
45 mon père. Ô Dieu ! ô Dieu ! faites que ce que je soupçonne soit la vérité, afin que je les broie sous mes pieds comme des grains de sable. Venez, venez, avant que je perde la force. Ne me dites pas un mot ; il s'agit là d'une vengeance, voyez-vous, telle que la colère céleste n'en a
50 pas rêvé.
Ils sortent.

---

1. **Ferme :** solide.

Scène 3 *Une rue.*
LORENZO, SCORONCONCOLO.

LORENZO. Rentre chez toi, et ne manque pas de venir à minuit ; tu t'enfermeras dans mon cabinet jusqu'à ce qu'on vienne t'avertir.

SCORONCONCOLO. Oui, monseigneur.
Il sort.

LORENZO, *seul.* De quel tigre a rêvé ma mère enceinte de moi ? Quand je pense que j'ai aimé les fleurs, les prairies et les sonnets de Pétrarque[1], le spectre de ma jeunesse se lève devant moi en frissonnant. Ô Dieu ! pourquoi ce seul mot : « À ce soir », fait-il pénétrer jusque dans mes os cette joie brûlante comme un fer rouge ? De quelles entrailles fauves, de quels velus embrassements suis-je donc sorti ? Que m'avait fait cet homme ? Quand je pose ma main là, sur mon cœur, et que je réfléchis, — qui donc m'entendra dire demain : « Je l'ai tué », sans me répondre : « Pourquoi l'as-tu tué ? » Cela est étrange. Il a fait du mal aux autres, mais il m'a fait du bien, du moins à sa manière. Si j'étais resté tranquille au fond de mes solitudes de Cafaggiuolo[2], il ne serait pas venu m'y chercher, et moi je suis venu le chercher à Florence. Pourquoi cela ? Le spectre de mon père me conduisait-il, comme Oreste[3], vers un nouvel Égisthe ? M'avait-il offensé alors ? Cela est étrange, et cependant pour cette action j'ai tout quitté. La seule pen-

---

1. **Pétrarque :** poète et humaniste italien (1304-1374). Musset, *La Nuit d'octobre*, 1837 : « Aimerais-tu les fleurs, les prés et la verdure, les sonnets de Pétrarque et le chant des oiseaux ? »
2. **Cafaggiuolo :** village des environs de Florence, où Lorenzo a passé son enfance.
3. **Oreste :** Oreste a tué les assassins de son père Agamemnon : Clytemnestre, sa mère, et l'amant de celle-ci, Égisthe, dans la tragédie de Sophocle. Le « spectre » du père fait cependant penser à Hamlet.

sée de ce meurtre a fait tomber en poussière les rêves de
25 ma vie ; je n'ai plus été qu'une ruine, dès que ce meurtre,
comme un corbeau sinistre[1], s'est posé sur ma route et m'a
appelé à lui. Que veut dire cela ? Tout à l'heure, en passant sur la place, j'ai entendu deux hommes parler d'une
comète[2]. Sont-ce bien les battements d'un cœur humain
30 que je sens là, sous les os de ma poitrine ? Ah ! pourquoi
cette idée me vient-elle si souvent depuis quelque temps ?
Suis-je le bras de Dieu ? Y a-t-il une nuée[3] au-dessus de
ma tête ? Quand j'entrerai dans cette chambre, et que je
voudrai tirer mon épée du fourreau, j'ai peur de tirer
35 l'épée flamboyante de l'archange[4], et de tomber en cendres
sur ma proie.

Il sort.

---

1. **Sinistre :** de mauvais augure.
2. **Comète :** les comètes passent pour annoncer des catastrophes.
3. **Nuée :** dans le livre de l'Exode, dans la Bible, une nuée guide les
   Hébreux dans le désert à leur sortie d'Égypte (Exode, XIII, 21).
4. **L'archange :** l'archange Gabriel, l'ange de la Genèse qui garde le jardin
   d'Eden d'où ont été chassés Adam et Ève (Gen. III, 24), ou encore
   l'archange Michel qui vainc le dragon (Apocalypse, XII) ?

Scène 4 *Chez le marquis Cibo.*
Entrent LE CARDINAL
et LA MARQUISE.

LA MARQUISE. Comme vous voudrez, Malaspina.

LE CARDINAL. Oui, comme je voudrai. Pensez-y à deux fois, marquise, avant de vous jouer à moi[1]. Êtes-vous une femme comme les autres, et faut-il qu'on ait une chaîne d'or[2] au cou et un mandat[3] à la main, pour que vous compreniez qui on est ? Attendez-vous qu'un valet crie à tue-tête en ouvrant une porte devant moi, pour savoir quelle est ma puissance ? Apprenez-le : ce ne sont pas les titres qui font l'homme – je ne suis ni envoyé du pape ni capitaine de Charles Quint – je suis plus que cela.

LA MARQUISE. Oui, je le sais. César a vendu son ombre au diable ; cette ombre impériale se promène, affublée d'une robe rouge, sous le nom de Cibo.

LE CARDINAL. Vous êtes la maîtresse d'Alexandre, songez à cela ; et votre secret est entre mes mains.

LA MARQUISE. Faites-en ce qu'il vous plaira ; nous verrons l'usage qu'un confesseur sait faire de sa conscience.

LE CARDINAL. Vous vous trompez ; ce n'est pas par votre confession que je l'ai appris. Je l'ai vu de mes propres yeux, je vous ai vue embrasser le duc. Vous me l'auriez avoué au confessionnal que je pourrais encore en parler sans péché, puisque je l'ai vu hors du confessionnal.

LA MARQUISE. Eh bien, après ?

---

1. **Vous jouer à moi :** vous attaquer inconsidérément à moi.
2. **Chaîne d'or :** insigne d'envoyé royal.
3. **Mandat :** acte par lequel une personne donne à une autre le droit d'agir en son nom.

LE CARDINAL. Pourquoi le duc vous quittait-il d'un pas
25 si nonchalant, et en soupirant comme un écolier quand la
cloche sonne ? Vous l'aviez rassasié de votre patriotisme,
qui, comme une fade boisson, se mêle à tous les mets de
votre table. Quels livres avez-vous lus, et quelle sotte duègne[1]
était donc votre gouvernante, pour que vous ne sachiez
30 pas que la maîtresse d'un roi parle ordinairement d'autre
chose que de patriotisme ?

LA MARQUISE. J'avoue que l'on ne m'a jamais appris bien
nettement de quoi devait parler la maîtresse d'un roi ; j'ai
négligé de m'instruire sur ce point, comme aussi, peut-
35 être, de manger du riz pour m'engraisser, à la mode turque.

LE CARDINAL. Il ne faut pas une grande science pour
garder un amant un peu plus de trois jours.

LA MARQUISE. Qu'un prêtre eût appris cette science à
une femme, cela eût été fort simple. Que ne m'avez-vous
40 conseillée ?

LE CARDINAL. Voulez-vous que je vous conseille ?
Prenez votre manteau, et allez vous glisser dans l'alcôve[2]
du duc. S'il s'attend à des phrases en vous voyant, prouvez-
lui que vous savez n'en pas faire à toutes les heures ;
45 soyez pareille à une somnambule, et faites en sorte que,
s'il s'endort sur ce cœur républicain, ce ne soit pas d'ennui.
Êtes-vous vierge ? n'y a-t-il plus de vin de Chypre[3] ?
n'avez-vous pas au fond de la mémoire quelque joyeuse
chanson ? n'avez-vous pas lu l'Arétin[4] ?

---

1. **Duègne :** vieille gouvernante chargée de veiller sur une jeune fille
(hispanolisme, de *duena*, « matrone »).
2. **Alcôve :** renfoncement dans une chambre, où l'on place un lit.
3. **Vin de Chypre :** vin très capiteux.
4. **L'Arétin :** écrivain italien (1492-1556), protégé par les Médicis, célèbre
pour ses écrits licencieux.

LA MARQUISE. Ô ciel ! j'ai entendu murmurer des mots 50
comme ceux-là à de hideuses vieilles qui grelottent sur le
Marché-Neuf[1]. Si vous n'êtes pas un prêtre, êtes-vous un
homme ? êtes-vous sûr que le ciel est vide, pour faire ainsi
rougir votre pourpre[2] elle-même ?

LE CARDINAL. Il n'y a rien de si vertueux que l'oreille 55
d'une femme dépravée. Feignez ou non de me comprendre,
mais souvenez-vous que mon frère est votre mari.

LA MARQUISE. Quel intérêt avez-vous à me torturer
ainsi, voilà ce que je ne puis comprendre que vaguement.
Vous me faites horreur – que voulez-vous de moi ? 60

LE CARDINAL. Il y a des secrets qu'une femme ne doit
pas savoir, mais qu'elle peut faire prospérer en en sachant
les éléments.

LA MARQUISE. Quel fil mystérieux de vos sombres pensées voudriez-vous me faire tenir ? Si vos désirs sont aussi 65
effrayants que vos menaces, parlez ; montrez-moi du
moins le cheveu qui suspend l'épée sur ma tête[3].

LE CARDINAL. Je ne puis parler qu'en termes couverts,
par la raison que je ne suis pas sûr de vous. Qu'il vous suffise de savoir que, si vous eussiez été une autre femme, 70
vous seriez une reine à l'heure qu'il est. Puisque vous
m'appelez l'ombre de César, vous auriez vu qu'elle est
assez grande pour intercepter le soleil de Florence. Savez-
vous où peut conduire un sourire féminin ? Savez-vous
où vont les fortunes dont les racines poussent dans les 75
alcôves ? Alexandre est fils du pape, apprenez-le ; et

---

1. **Marché-Neuf :** centre des affaires et des intrigues à Florence.
2. **Pourpre :** désigne la robe du cardinal et donc, par métonymie, la
   dignité cardinalice.
3. **L'épée sur ma tête :** allusion à l'épée de Damoclès, que le tyran Denys de
   Syracuse maintenait suspendue, attachée par un crin de cheval, au-dessus
   de la tête de ce courtisan, comme signe de la fragilité du bonheur.

quand le pape était à Bologne… Mais je me laisse entraî-
ner trop loin.

LA MARQUISE. Prenez garde de vous confesser à votre
80 tour. Si vous êtes le frère de mon mari, je suis la maîtresse
d'Alexandre.

LE CARDINAL. Vous l'avez été, marquise, et bien d'autres
aussi.

LA MARQUISE. Je l'ai été – oui, Dieu merci, je l'ai été !

85 **LE CARDINAL.** J'étais sûr que vous commenceriez par
vos rêves ; il faudra cependant que vous en veniez quelque
jour aux miens. Écoutez-moi, nous nous querellons assez
mal à propos ; mais en vérité, vous prenez tout au sérieux.
Réconciliez-vous avec Alexandre, et puisque je vous ai
90 blessée tout à l'heure en vous disant comment, je n'ai que
faire de le répéter. Laissez-vous conduire ; dans un an,
dans deux ans, vous me remercierez. J'ai travaillé longtemps pour être ce que je suis, et je sais où l'on peut aller.
Si j'étais sûr de vous, je vous dirais des choses que Dieu
95 lui-même ne saura jamais.

LA MARQUISE. N'espérez rien, et soyez assuré de mon
mépris.
Elle veut sortir.

LE CARDINAL. Un instant ! Pas si vite ! N'entendez-vous
100 pas le bruit d'un cheval ? Mon frère ne doit-il pas venir
aujourd'hui ou demain ? Me connaissez-vous pour un
homme qui a deux paroles ? Allez au palais ce soir, ou
vous êtes perdue.

LA MARQUISE. Mais enfin, que vous soyez ambitieux,
105 que tous les moyens vous soient bons, je le conçois ; mais
parlerez-vous plus clairement ? Voyons, Malaspina, je ne
veux pas désespérer tout à fait de ma perversion. Si vous
pouvez me convaincre, faites-le – parlez-moi franchement.
Quel est votre but ?

LE CARDINAL. Vous ne désespérez pas de vous laisser [110]
convaincre, n'est-il pas vrai ? Me prenez-vous pour un
enfant, et croyez-vous qu'il suffise de me frotter les lèvres
de miel[1] pour me les desserrer ? Agissez d'abord, je parlerai après. Le jour où, comme femme, vous aurez pris
l'empire nécessaire, non pas sur l'esprit d'Alexandre, duc [115]
de Florence, mais sur le cœur d'Alexandre, votre amant, je
vous apprendrai le reste, et vous saurez ce que j'attends.

LA MARQUISE. Ainsi donc, quand j'aurai lu l'Arétin pour
me donner une première expérience, j'aurai à lire, pour en
acquérir une seconde, le livre secret de vos pensées ? [120]
Voulez-vous que je vous dise, moi, ce que vous n'osez pas
me dire ? Vous servez le pape, jusqu'à ce que l'empereur
trouve que vous êtes meilleur valet que le pape lui-même.
Vous espérez qu'un jour César vous devra bien réellement,
bien complètement, l'esclavage de l'Italie, et ce jour-là [125]
– oh ! ce jour-là, n'est-il pas vrai, celui qui est le roi de la
moitié du monde[2] pourrait bien vous donner en récompense le chétif héritage des cieux[3]. Pour gouverner
Florence en gouvernant le duc, vous vous feriez femme
tout à l'heure[4], si vous pouviez. Quand la pauvre Ricciarda [130]
Cibo aura fait faire deux ou trois coups d'État à Alexandre,
on aura bientôt ajouté que Ricciarda Cibo mène le duc,
mais qu'elle est menée par son beau-frère ; et, comme vous
dites, qui sait jusqu'où les larmes des peuples, devenues un
océan, pourraient lancer votre barque ? Est-ce à peu près [135]
cela ? Mon imagination ne peut aller aussi loin que la
vôtre, sans doute ; mais je crois que c'est à peu près cela.

LE CARDINAL. Allez ce soir chez le duc, ou vous êtes
perdue.

---

1. **Frotter les lèvres de miel :** flatter.
2. **Le roi de la moitié du monde :** Charles Quint.
3. **Le chétif héritage des cieux :** le pontificat.
4. **Tout à l'heure :** tout de suite, sur l'heure.

140 **LA MARQUISE.** Perdue ? et comment ?

LE CARDINAL. Ton mari saura tout !

LA MARQUISE. Faites-le, faites-le, je me tuerai.

LE CARDINAL. Menace de femme ! Écoutez-moi. Que vous m'ayez compris bien ou mal, allez ce soir chez le duc.

145 **LA MARQUISE.** Non.

LE CARDINAL. Voilà votre mari qui entre dans la cour. Par tout ce qu'il y a de sacré au monde, je lui raconte tout, si vous dites « non » encore une fois.

LA MARQUISE. Non, non, non ! *(Entre le marquis.)*
150 Laurent, pendant que vous étiez à Massa, je me suis livrée à Alexandre, je me suis livrée, sachant qui il était, et quel rôle misérable j'allais jouer. Mais voilà un prêtre qui veut m'en faire jouer un plus vil encore ; il me propose des horreurs pour m'assurer le titre de maîtresse du duc, et le
155 tourner à son profit.
Elle se jette à genoux.

LE MARQUIS. tes-vous folle ? Que veut-elle dire, Malaspina ? — Eh bien ! vous voilà comme une statue. Ceci est-il une comédie, cardinal ? Eh bien donc ! que faut-il que j'en
160 pense ?

LE CARDINAL. Ah ! corps du Christ !
Il sort.

LE MARQUIS. Elle est évanouie. Holà ! qu'on apporte du vinaigre.

Scène 5 *La chambre de Lorenzo.*
LORENZO, DEUX DOMESTIQUES.

LORENZO. Quand vous aurez placé ces fleurs sur la table et celles-ci au pied du lit, vous ferez un bon feu, mais de manière à ce que cette nuit la flamme ne flambe pas, et que les charbons échauffent sans éclairer. Vous me donnerez la clef, et vous irez vous coucher. 5
Entre Catherine.

CATHERINE. Notre mère est malade ; ne viens-tu pas la voir, Renzo ?

LORENZO. Ma mère est malade ?

CATHERINE. Hélas ! je ne puis te cacher la vérité. J'ai reçu 10 hier un billet du duc, dans lequel il me disait que tu avais dû me parler d'amour pour lui ; cette lecture a fait bien du mal à Marie.

LORENZO. Cependant je ne t'avais pas parlé de cela. N'astu pas pu lui dire que je n'étais pour rien là-dedans ? 15

CATHERINE. Je le lui ai dit. Pourquoi ta chambre est-elle aujourd'hui si belle et en si bon état ? Je ne croyais pas que l'esprit d'ordre fût ton majordome[1].

LORENZO. Le duc t'a donc écrit ? Cela est singulier que je ne l'aie point su. Et, dis-moi, que penses-tu de sa lettre ? 20

CATHERINE. Ce que j'en pense ?

LORENZO. Oui, de la déclaration d'Alexandre. Qu'en pense ce petit cœur innocent ?

CATHERINE. Que veux-tu que j'en pense ?

LORENZO. N'as-tu pas été flattée ? un amour qui fait l'envie 25 de tant de femmes ! un titre si beau à conquérir, la maîtresse de... Va-t'en, Catherine, va dire à ma mère que je te

---

1. **Majordome :** maître d'hôtel.

suis. Sors d'ici. Laisse-moi ! *(Catherine sort.)* Par le ciel !
quel homme de cire suis-je donc ? Le vice, comme la robe
30 de Déjanire[1], s'est-il si profondément incorporé à mes
fibres, que je ne puisse plus répondre de ma langue, et
que l'air qui sort de mes lèvres se fasse ruffian malgré
moi ? J'allais corrompre Catherine. – Je crois que je cor-
romprais ma mère, si mon cerveau le prenait à tâche ; car
35 Dieu sait quelle corde et quel arc les dieux ont tendus
dans ma tête, et quelle force ont les flèches qui en
partent ! Si tous les hommes sont des parcelles d'un foyer
immense, assurément l'être inconnu qui m'a pétri a laissé
tomber un tison[2] au lieu d'une étincelle, dans ce corps faible
40 et chancelant. Je puis délibérer et choisir, mais non revenir
sur mes pas quand j'ai choisi. Ô Dieu ! les jeunes gens à la
mode ne se font-ils pas une gloire d'être vicieux, et les
enfants qui sortent du collège ont-ils quelque chose de
plus pressé que de se pervertir ? Quel bourbier doit donc
45 être l'espèce humaine, qui se rue ainsi dans les tavernes avec
des lèvres affamées de débauche, quand moi, qui n'ai
voulu prendre qu'un masque pareil à leurs visages, et qui
ai été aux mauvais lieux avec une résolution inébranlable
de rester pur sous mes vêtements souillés, je ne puis ni
50 me retrouver moi-même, ni laver mes mains, même avec
du sang[3] ! Pauvre Catherine ! tu mourrais cependant
comme Louise Strozzi, ou tu te laisserais tomber comme
tant d'autres dans l'éternel abîme, si je n'étais pas là.
Ô Alexandre ! je ne suis pas dévot, mais je voudrais, en

---

1. **Déjanire :** femme d'Hercule, qui causa involontairement sa mort en
   lui donnant une tunique magique qui devait être imprégnée d'un philtre
   d'amour mais qui, par l'instigation du centaure Nessus, amoureux
   éconduit, avait le pouvoir de brûler la peau : supplice auquel Hercule
   échappa en se tuant.
2. **Tison :** morceau de bois brûlé encore incandescent.
3. **Même avec du sang :** est-ce une réminiscence de *Macbeth* de
   Shakespeare ?

vérité, que tu fisses ta prière avant de venir ce soir dans 55
cette chambre[1]. Catherine n'est-elle pas vertueuse, irrépro-
chable ? Combien faudrait-il pourtant de paroles pour
faire de cette colombe ignorante la proie de ce gladiateur
aux poils roux ! Quand je pense que j'ai failli parler ! Que
de filles maudites par leurs pères rôdent au coin des bor- 60
nes, ou regardent leur tête rasée[2] dans le miroir cassé
d'une cellule, qui ont valu tout autant que Catherine, et
qui ont écouté un ruffian moins habile que moi ! Eh bien !
j'ai commis bien des crimes, et si ma vie est jamais dans la
balance d'un juge quelconque, il y aura d'un côté une 65
montagne de sanglots ; mais il y aura peut-être de l'autre
une goutte de lait pur tombée du sein de Catherine, et qui
aura nourri d'honnêtes enfants.

Il sort.

---

1. **Dans cette chambre :** dans *Othello* de Shakespeare, Othello demande
   à Desdémone de faire sa prière avant de l'étouffer.
2. **Tête rasée :** on rase la tête des prostituées avant de les emprisonner.

Scène 6

*Une vallée, un couvent
dans le fond.
Entrent* PHILIPPE STROZZI
*et deux moines.
Des novices portent le cercueil
de Louise ; ils le posent
dans un tombeau.*

PHILIPPE. Avant de la mettre dans son dernier lit, laissez-moi l'embrasser. Lorsqu'elle était couchée, c'est ainsi que je me penchais sur elle pour lui donner le baiser du soir. Ses yeux mélancoliques étaient ainsi fermés à demi ; mais
5   ils se rouvraient au premier rayon du soleil, comme deux fleurs d'azur ; elle se levait doucement le sourire sur les lèvres, et elle venait rendre à son vieux père son baiser de la veille. Sa figure céleste rendait délicieux un moment bien triste, le réveil d'un homme fatigué de la vie. Un jour
10   de plus, pensais-je en voyant l'aurore, un sillon de plus dans mon champ ! Mais alors j'apercevais ma fille, la vie m'apparaissait sous la forme de sa beauté, et la clarté du jour était la bienvenue.
On ferme le tombeau.

15   **PIERRE STROZZI,** *derrière la scène.* Par ici, venez par ici.

PHILIPPE. Tu ne te lèveras plus de ta couche ; tu ne poseras pas tes pieds nus sur ce gazon pour revenir trouver ton père. Ô ma Louise ! il n'y a que Dieu qui a su qui tu étais, et moi, moi, moi !

20   **PIERRE,** *entrant.* Ils sont cent à Sestino[1], qui arrivent du Piémont. Venez, Philippe, le temps des larmes est passé.

PHILIPPE. Enfant, sais-tu ce que c'est que le temps des larmes ?

---

1. **Sestino :** bourgade voisine d'Arezzo, à soixante kilomètres de Florence.

PIERRE. Les bannis se sont rassemblés à Sestino ; il est temps de penser à la vengeance. Marchons franchement sur Florence avec notre petite armée. Si nous pouvons arriver à propos pendant la nuit, et surprendre les postes de la citadelle, tout est dit. Par le ciel ! j'élèverai à ma sœur un autre mausolée[1] que celui-là. ₂₅

PHILIPPE. Non pas moi ; allez sans moi, mes amis. ₃₀

PIERRE. Nous ne pouvons nous passer de vous ; sachez-le, les confédérés[2] comptent sur votre nom. François Ier lui-même attend de vous un mouvement en faveur de la liberté. Il vous écrit comme au chef des républicains florentins ; voilà sa lettre. ₃₅

PHILIPPE *ouvre la lettre.* Dis à celui qui t'a apporté cette lettre qu'il réponde ceci au roi de France : « Le jour où Philippe portera les armes contre son pays, il sera devenu fou. »

PIERRE. Quelle est cette nouvelle sentence[3] ? ₄₀

PHILIPPE. Celle qui me convient.

PIERRE. Ainsi vous perdez la cause des bannis, pour le plaisir de faire une phrase ? Prenez garde, mon père, il ne s'agit pas là d'un passage de Pline[4] ; réfléchissez avant de dire non. ₄₅

PHILIPPE. Il y a soixante ans que je sais ce que je devais répondre à la lettre du roi de France.

PIERRE. Cela passe toute idée ! vous me forceriez à vous dire de certaines choses. — Venez avec nous, mon père, je

---

1. **Mausolée :** monument funéraire somptueux.
2. **Confédérés :** les bannis qui se sont conjurés contre les Médicis.
3. **Sentence :** pensée ou opinion exprimée de manière dogmatique ou littéraire, avec ici une nuance péjorative.
4. **Pline :** Pline l'Ancien (29-79) avait rédigé une *Histoire naturelle* que, selon Varchi, Philippe Strozzi avait entrepris de corriger.

50 vous en supplie. Lorsque j'allais chez les Pazzi, ne m'avez-
vous pas dit : Emmène-moi ? — Cela était-il différent alors ?

PHILIPPE. Très différent. Un père offensé qui sort de sa
maison l'épée à la main, avec ses amis, pour aller réclamer
justice, est très différent d'un rebelle qui porte les armes
55 contre son pays, en rase campagne et au mépris des lois.

PIERRE. Il s'agissait bien de réclamer justice ! il s'agissait
d'assommer Alexandre. Qu'est-ce qu'il y a de changé
aujourd'hui ? Vous n'aimez pas votre pays, ou sans cela
vous profiteriez d'une occasion comme celle-ci.

60 **PHILIPPE.** Une occasion, mon Dieu ! Cela, une occasion !
Il frappe le tombeau.

PIERRE. Laissez-vous fléchir.

PHILIPPE. Je n'ai pas une douleur ambitieuse ; laisse-moi
seul, j'en ai assez dit.

65 **PIERRE.** Vieillard obstiné ! inexorable faiseur de sentences ! vous serez cause de notre perte.

PHILIPPE. Tais-toi, insolent ! sors d'ici !

PIERRE. Je ne puis dire ce qui se passe en moi. Allez où il
vous plaira, nous agirons sans vous cette fois. Eh ! mort de
70 Dieu ! il ne sera pas dit que tout soit perdu faute d'un tra-
ducteur de latin !
Il sort.

PHILIPPE. Ton jour est venu[1], Philippe ! tout cela signifie
que ton jour est venu.

---

1. **Ton jour est venu :** Philippe, en réalité, ne s'est pas retiré de la sorte,
mais prit la tête des bannis après la mort d'Alexandre.

Scène 7 *Le bord de l'Arno ; un quai.*
On voit une longue suite de palais.

LORENZO, *entrant.* Voilà le soleil qui se couche ; je n'ai pas de temps à perdre, et cependant tout ressemble ici à du temps perdu. *(Il frappe à une porte.)* Holà ! seigneur Alamanno ! holà !

ALAMANNO, *sur sa terrasse.* Qui est là ? que me voulez-vous ?

LORENZO. Je viens vous avertir que le duc doit être tué cette nuit[1]. Prenez vos mesures pour demain avec vos amis, si vous aimez la liberté.

ALAMANNO. Par qui doit être tué Alexandre ?

LORENZO. Par Lorenzo de Médicis.

ALAMANNO. C'est toi, Renzinaccio[2] ? Eh ! entre donc souper avec de bons vivants qui sont dans mon salon.

LORENZO. Je n'ai pas le temps ; préparez-vous à agir demain.

ALAMANNO. Tu veux tuer le duc, toi ? Allons donc ! tu as un coup de vin dans la tête.
Il rentre chez lui.

LORENZO, *seul.* Peut-être que j'ai tort de leur dire que c'est moi qui tuerai Alexandre, car tout le monde refuse de me croire. *(Il frappe à une autre porte.)* Holà ! seigneur Pazzi ! holà !

PAZZI, *sur sa terrasse.* Qui m'appelle ?

LORENZO. Je viens vous dire que le duc sera tué cette nuit. Tâchez d'agir demain pour la liberté de Florence.

---

1. **Le duc doit être tué cette nuit :** scène authentique, mais Lorenzo, en réalité, n'a prévenu les républicains qu'une fois le meurtre accompli.
2. **Renzinaccio :** diminutif complexe et intraduisible en français, péjoratif.

PAZZI. Qui doit tuer le duc ?

LORENZO. Peu importe, agissez toujours, vous et vos amis. Je ne puis vous dire le nom de l'homme.

PAZZI. Tu es fou, drôle[1], va-t'en au diable !

30 *Il rentre.*

LORENZO, *seul.* Il est clair que si je ne dis pas que c'est moi, on me croira encore bien moins. *(Il frappe à une porte.)* Holà ! seigneur Corsini !

LE PROVÉDITEUR, *sur sa terrasse.* Qu'est-ce donc ?

35 **LORENZO.** Le duc Alexandre sera tué cette nuit.

LE PROVÉDITEUR. Vraiment, Lorenzo ! Si tu es gris, va plaisanter ailleurs. Tu m'as blessé bien mal à propos un cheval, au bal des Nasi ; que le diable te confonde !
Il rentre.

40 **LORENZO.** Pauvre Florence ! pauvre Florence !
Il sort.

---

1. **Drôle :** mauvais sujet.

Scène 8 *Une plaine.*
Entrent PIERRE STROZZI
et DEUX BANNIS.

PIERRE. Mon père ne veut pas venir. Il m'a été impossible de lui faire entendre raison.

PREMIER BANNI. Je n'annoncerai pas cela à mes camarades. Il y a de quoi les mettre en déroute.

PIERRE. Pourquoi ? Montez à cheval ce soir, et allez bride abattue à Sestino ; j'y serai demain matin. Dites que Philippe a refusé, mais que Pierre ne refuse pas.

PREMIER BANNI. Les confédérés veulent le nom de Philippe ; nous ne ferons rien sans cela.

PIERRE. Le nom de famille de Philippe est le même que le mien. Dites que Strozzi viendra, cela suffit.

PREMIER BANNI. On me demandera lequel des Strozzi, et si je ne réponds pas « Philippe », rien ne se fera.

PIERRE. Imbécile ! Fais ce qu'on te dit, et ne réponds que pour toi-même. Comment sais-tu d'avance que rien ne se fera ?

PREMIER BANNI. Seigneur, il ne faut pas maltraiter les gens.

PIERRE. Allons monte à cheval, et va à Sestino.

PREMIER BANNI. Ma foi, monsieur, mon cheval est fatigué ; j'ai fait douze lieues dans la nuit. Je n'ai pas envie de le seller à cette heure.

PIERRE. Tu n'es qu'un sot. *(À l'autre banni.)* Allez-y, vous ; vous vous y prendrez mieux.

LE DEUXIÈME BANNI. Le camarade n'a pas tort pour ce qui regarde Philippe ; il est certain que son nom ferait bien pour la cause.

PIERRE. Lâches ! Manants sans cœur[1] ! Ce qui fait bien
pour la cause, ce sont vos femmes et vos enfants qui meurent
de faim, entendez-vous ? Le nom de Philippe leur remplira
la bouche, mais il ne leur remplira pas le ventre. Quels
pourceaux êtes-vous ?

LE DEUXIÈME BANNI. Il est impossible de s'entendre
avec un homme aussi grossier. Allons-nous-en, camarade.

PIERRE. Va au diable, canaille ! et dis à tes confédérés
que, s'ils ne veulent pas de moi, le roi de France en veut,
lui[2] ! et qu'ils prennent garde qu'on ne me donne la main
haute sur vous tous !

LE DEUXIÈME BANNI, *à l'autre.* Viens, camarade, allons
souper ; je suis, comme toi, excédé de fatigue.
Ils sortent.

---

1. **Manants sans cœur :** rustres méprisables, sans courage.
2. **Le roi de France en veut, lui :** Pierre Strozzi se réfugia en France et
   passa au service du roi, en 1544, bien après l'avènement de Côme de
   Médicis.

Scène 9 *Une place ; il est nuit.*

LORENZO, *entrant.* Je lui dirai que c'est un motif de
pudeur, et j'emporterai la lumière — cela se fait tous les
jours — une nouvelle mariée, par exemple, exige cela de
son mari pour entrer dans la chambre nuptiale, et Catherine
passe pour très vertueuse. — Pauvre fille ! qui l'est sous le   5
soleil, si elle ne l'est pas ? — Que ma mère mourût de tout
cela, voilà ce qui pourrait arriver.
Ainsi donc, voilà qui est fait. Patience ! une heure est une
heure, et l'horloge vient de sonner. Si vous y tenez cependant — mais non, pourquoi ? — Emporte le flambeau si tu   10
veux ; la première fois qu'une femme se donne, cela est
tout simple. — Entrez donc, chauffez-vous donc un peu. —
Oh ! mon Dieu, oui, pur caprice de jeune fille ; et quel
motif de croire à ce meurtre ? — Cela pourra les étonner,
même Philippe. Te voilà, toi, face livide ? *(La lune paraît.)*   15
Si les républicains étaient des hommes, quelle révolution
demain dans la ville ! Mais Pierre est un ambitieux ; les
Ruccellai seuls valent quelque chose. — Ah ! les mots, les
mots, les éternelles paroles ! S'il y a quelqu'un là-haut, il
doit bien rire de nous tous ; cela est très comique, très   20
comique, vraiment. — Ô bavardage humain ! ô grand tueur
de corps morts ! grand défonceur de portes ouvertes !
ô hommes sans bras ! Non ! non ! je n'emporterai pas la
lumière. — J'irai droit au cœur ; il se verra tuer... Sang du
Christ ! on se mettra demain aux fenêtres. Pourvu qu'il   25
n'ait pas imaginé quelque cuirasse nouvelle, quelque cotte
de mailles. Maudite invention ! Lutter avec Dieu et le diable,
ce n'est rien ; mais lutter avec des bouts de ferraille croisés
les uns sur les autres par la main sale d'un armurier ! — Je
passerai le second pour entrer ; il posera son épée là — ou   30
là — oui, sur le canapé. — Quant à l'affaire du baudrier à

167

rouler autour de la garde[1], cela est aisé. S'il pouvait lui
prendre fantaisie de se coucher, voilà où serait le vrai
moyen. Couché, assis, ou debout ? assis plutôt. Je com-
35 mencerai par sortir ; Scoronconcolo est enfermé dans le
cabinet. Alors nous venons, nous venons – je ne voudrais
pourtant pas qu'il tournât le dos. J'irai à lui tout droit.
Allons, la paix, la paix ! l'heure va venir. – Il faut que j'aille
dans quelque cabaret ; je ne m'aperçois pas que je prends
40 du froid, et je viderai un flacon. – Non je ne veux pas
boire. Où diable vais-je donc ? les cabarets sont fermés.
Est-elle bonne fille ? – Oui, vraiment. – En chemise[2] ?
– Oh, non, non, je ne le pense pas. – Pauvre Catherine !
– Que ma mère mourût de tout cela, ce serait triste. – Et
45 quand je lui aurais dit mon projet, qu'aurais-je pu y faire ?
au lieu de la consoler, cela lui aurait fait dire : « Crime,
crime ! » jusqu'à son dernier soupir !
Je ne sais pourquoi je marche, je tombe de lassitude. *(Il
s'assoit sur un banc.)* Pauvre Philippe ! une fille belle
50 comme le jour ! Une seule fois je me suis assis près d'elle
sous le marronnier ; ces petites mains blanches, comme
cela travaillait ! Que de journées j'ai passées, moi, assis
sous les arbres ! Ah ! quelle tranquillité ! quel horizon à
Cafaggiuolo ! Jeannette était jolie, la petite fille du
55 concierge, en faisant sécher sa lessive. Comme elle chas-
sait les chèvres qui venaient marcher sur son linge étendu
sur le gazon ! la chèvre blanche revenait toujours, avec ses
grandes pattes menues. *(Une horloge sonne.)* Ah ! ah ! il
faut que j'aille là-bas. – Bonsoir, mignon ; eh ! trinque
60 donc avec Giomo. – Bon vin ! Cela serait plaisant qu'il lui
vînt à l'idée de me dire : Ta chambre est-elle retirée ?

---

1. **Baudrier à rouler autour de la garde :** bande de cuir ou d'étoffe destinée à soutenir le sabre ou l'épée, ici à rouler autour de la partie de
l'épée qui protège la main. Détail chez Varchi, repris par George Sand.
2. **En chemise :** pourtant, Lorenzo lui-même avait promis à Alexandre
que sa tante l'attendrait dans sa chambre « en chemise » (IV, 1).

entendra-t-on quelque chose du voisinage ? Cela serait
plaisant ; ah ! on y a pourvu. Oui, cela serait drôle qu'il lui
vînt cette idée. Je me trompe d'heure ; ce n'est que la
demie. Quelle est donc cette lumière sous le portique de 65
l'église ? on taille, on remue des pierres. Il paraît que ces
hommes sont courageux avec les pierres. Comme ils
coupent ! comme ils enfoncent ! Ils font un crucifix ; avec
quel courage ils le clouent ! Je voudrais voir que leur
cadavre de marbre les prît tout d'un coup à la gorge. Eh 70
bien ! eh bien ! quoi donc ? j'ai des envies de danser qui
sont incroyables. Je crois, si je m'y laissais aller, que je sau-
terais comme un moineau sur tous ces gros plâtras et sur
toutes ces poutres. Eh, mignon ! eh, mignon ! mettez vos
gants neufs, un plus bel habit que cela, tra la la ! faites- 75
vous beau, la mariée est belle. Mais, je vous le dis à
l'oreille, prenez garde à son petit couteau[1].

Il sort en courant.

---

1. **Couteau :** souvenir de Lucrèce, voir acte II. Alexandre est présenté
   comme un « garçon boucher ».

Scène 10 *Chez le duc.*

LE DUC, *à souper,* GIOMO.

– *Entre* LE CARDINAL CIBO.

LE CARDINAL. Altesse, prenez garde à Lorenzo.

LE DUC. Vous voilà, cardinal ! asseyez-vous donc, et prenez donc un verre.

LE CARDINAL. Prenez garde à Lorenzo, duc. Il a été
5 demander ce soir à l'évêque de Marzi la permission d'avoir des chevaux de poste cette nuit.

LE DUC. Cela ne se peut pas.

LE CARDINAL. Je le tiens de l'évêque lui-même.

LE DUC. Allons donc ! Je vous dis que j'ai de bonnes rai-
10 sons pour savoir que cela ne se peut pas.

LE CARDINAL. Me faire croire est peut-être impossible ; je remplis mon devoir en vous avertissant.

LE DUC. Quand cela serait vrai, que voyez-vous d'effrayant à cela ? Il va peut-être à Cafaggiuolo.

15 **LE CARDINAL.** Ce qu'il y a d'effrayant, monseigneur, c'est qu'en passant sur la place pour venir ici, je l'ai vu de mes yeux sauter sur des poutres et des pierres comme un fou. Je l'ai appelé, et je suis forcé d'en convenir, son regard m'a fait peur. Soyez certain qu'il mûrit dans sa tête quelque
20 projet pour cette nuit.

LE DUC. Et pourquoi ces projets me seraient-ils dangereux ?

LE CARDINAL. Faut-il tout dire, même quand on parle d'un favori ? Apprenez qu'il a dit ce soir à deux personnes de ma connaissance, publiquement, sur leur terrasse, qu'il
25 vous tuerait cette nuit.

LE DUC. Buvez donc un verre de vin, cardinal. Est-ce que vous ne savez pas que Renzo est ordinairement gris au coucher du soleil ?

Entre sire Maurice.

SIRE MAURICE. Altesse, défiez-vous de Lorenzo. Il a dit à trois de mes amis, ce soir, qu'il voulait vous tuer cette nuit. 30

LE DUC. Et vous aussi, brave Maurice, vous croyez aux fables[1] ? Je vous croyais plus homme que cela.

SIRE MAURICE. Votre Altesse sait si je m'effraye sans raison. Ce que je dis, je puis le prouver. 35

LE DUC. Asseyez-vous donc, et trinquez avec le cardinal. – Vous ne trouverez pas mauvais que j'aille à mes affaires – *(Entre Lorenzo.)* Eh bien, mignon ! est-il déjà temps ? 40

LORENZO. Il est minuit tout à l'heure[2].

LE DUC. Qu'on me donne mon pourpoint de zibeline.

LORENZO. Dépêchons-nous ; votre belle est peut-être déjà au rendez-vous.

LE DUC. Quels gants faut-il prendre ? ceux de guerre, ou ceux d'amour ? 45

LORENZO. Ceux d'amour, Altesse.

LE DUC. Soit, je veux être un vert-galant[3].

Ils sortent.

SIRE MAURICE. Que dites-vous de cela, cardinal ? 50

LE CARDINAL. Que la volonté de Dieu se fait malgré les hommes.

Ils sortent.

---

1. **Fables :** histoires mensongères.
2. **Tout à l'heure :** dans un instant, pratiquement.
3. **Vert-galant :** séducteur, surnom donné à Henri IV.

Scène 11 *La chambre de Lorenzo.*
Entrent LE DUC *et* LORENZO.

LE DUC. Je suis transi, — il fait vraiment froid. *(Il ôte son épée.)* Eh bien ! mignon, qu'est-ce que tu fais donc ?

LORENZO. Je roule votre baudrier autour de votre épée, et je le mets sous votre chevet. Il est bon d'avoir toujours
5   une arme sous la main.
Il entortille le baudrier de manière à empêcher l'épée de sortir du fourreau.

LE DUC. Tu sais que je n'aime pas les bavardes, et il m'est revenu que la Catherine était une belle parleuse. Pour évi-
10   ter les conversations, je vais me mettre au lit. — À propos, pourquoi donc as-tu fait demander des chevaux de poste à l'évêque de Marzi ?

LORENZO. Pour aller voir mon frère, qui est très malade, à ce qu'il m'écrit.

15   **LE DUC.** Va donc chercher ta tante.

LORENZO. Dans un instant.
Il sort.

LE DUC, *seul.* Faire la cour à une femme qui vous répond « oui » lorsqu'on lui demande « oui ou non », cela m'a tou-
20   jours paru très sot, et tout à fait digne d'un Français. Aujourd'hui surtout que j'ai soupé comme trois moines, je serais incapable de dire seulement : « Mon cœur », ou « Mes chères entrailles », à l'infante d'Espagne[1]. Je veux faire semblant de dormir ; ce sera peut-être cavalier[2], mais
25   ce sera commode.
Il se couche. — Lorenzo rentre l'épée à la main.

---

1. **L'infante d'Espagne :** allusion d'Alexandre à son épouse, Marguerite d'Autriche, fille naturelle de Charles Quint, roi d'Espagne. Titre porté par la fille cadette du roi d'Espagne.
2. **Cavalier :** désinvolte, presque grossier.

LORENZO. Dormez-vous, seigneur ?
Il le frappe.

LE DUC. C'est toi, Renzo ?

LORENZO. Seigneur, n'en doutez pas.   30
Il le frappe de nouveau. — Entre Scoronconcolo.

SCORONCONCOLO. Est-ce fait ?

LORENZO. Regarde, il m'a mordu au doigt. Je garderai jusqu'à la mort cette bague sanglante, inestimable diamant.

SCORONCONCOLO. Ah ! mon Dieu ! c'est le duc de Florence !   35

LORENZO, *s'asseyant sur le bord de la fenêtre.* Que la nuit est belle ! que l'air du ciel est pur ! Respire, respire, cœur navré[1] de joie !

SCORONCONCOLO. Viens, maître, nous en avons trop fait ; sauvons-nous.   40

LORENZO. Que le vent du soir est doux et embaumé ! Comme les fleurs des prairies s'entr'ouvrent ! Ô nature magnifique ! ô éternel repos !

SCORONCONCOLO. Le vent va glacer sur votre visage la sueur qui en découle. Venez, seigneur.   45

LORENZO. Ah ! Dieu de bonté ! quel moment !

SCORONCONCOLO, *à part.* Son âme se dilate singulièrement. Quant à moi, je prendrai les devants.
Il veut sortir.

LORENZO. Attends, tire ces rideaux. Maintenant, donne-   50
moi la clef de cette chambre.

SCORONCONCOLO. Pourvu que les voisins n'aient rien entendu !

LORENZO. Ne te souviens-tu pas qu'ils sont habitués à notre tapage ? Viens, partons.   55
Ils sortent.

---

1. **Navré :** blessé, transpercé.

Clefs d'analyse

Acte IV, scène 11.

Compréhension

Les personnages

- Indiquer à qui le duc a envie ou n'a pas envie de dire des mots tendres ce soir-là.
- Évaluer le temps qui s'écoule entre la sortie et l'entrée de Lorenzo.
- Relever les éléments qui font référence à des noces.

Le langage

- Définir le registre employé par Lorenzo pendant sa contemplation de la nature.
- Observer le contraste entre les paroles de Lorenzo et celles du duc ou de Scoronconcolo.

Réflexion

Un accomplissement ?

- Expliquer pourquoi Lorenzo tient à se faire reconnaître par le duc.
- Analyser l'extase de Lorenzo, assis sur sa fenêtre, après le meurtre.

Un dénouement ?

- Analyser le contraste saisissant entre la brièveté et la sobriété de cette scène et les discours qui l'avaient préparée (monologues de Lorenzo, dans l'acte IV), et même ses répétitions (III, 1).
- Expliquer l'effet que Musset a voulu produire en créant de nombreuses correspondances entre cette scène et la première de la pièce.

À retenir :

Dans le vocabulaire du théâtre, une catastrophe est un incident dramatique fort qui provoque le dénouement de la pièce. Il n'est pas forcément malheureux, contrairement à ce que pourrait laisser penser l'usage courant du terme.

Synthèse Acte IV

Lorenzo seul à agir

Personnages

L'échec des Strozzi et de la marquise Cibo

L'acte IV voit l'échec des deux intrigues parallèles à celle de Lorenzo. Leurs protagonistes apparaissent amplement comme ses doubles « ratés ». Lorenzo, les membres de la famille Strozzi et la marquise Cibo ont tenté de freiner la tyrannie d'Alexandre. Philippe Strozzi, l'idéaliste, se retranche de la vie politique à partir de la mort de sa fille, Louise. Il est définitivement l'incarnation de l'inefficacité des « républicains », qui se refusent à l'action. Quant à la marquise Cibo, elle renonce à vouloir changer le duc après un affrontement verbal violent où elle a reconnu le peu d'emprise qu'elle avait sur son esprit. Comme Lorenzo, elle s'est laissée corrompre par la débauche, frappant tous ceux qui approchent de trop près le duc. Cependant, elle l'a fait sans réelle connaissance et sans résultat. Elle se sauve pourtant d'une fin tragique en avouant son infidélité à son mari, ce qui la rapproche des autres héroïnes énergiques du théâtre de Musset.

Langage

Le monologue introspectif

Malgré la méfiance généralisée à l'égard du langage (III), certaines pratiques de la parole semblent à même d'exprimer une vérité. C'est le cas des examens de conscience et des portraits de soi, dont le monologue introspectif est l'expression la plus courante. Celui-ci échappe en effet à la volonté de séduction qui semble inhérente au processus de communication. L'avènement de la vérité intérieure de Lorenzo advient au travers d'une série de plusieurs monologues. Ceux-ci font suite à la première révélation, survenue lors de la rencontre avec Philippe Strozzi, et qui pouvait par endroits être assimilée à un monologue, tant Strozzi ne semblait plus assurer que la fonction de spectateur.

Société

Impuissance politique des « républicains »

L'usage du terme « républicains » par Musset pour désigner les Strozzi et leurs alliés est volontairement anachronique. À l'époque, seules les familles aristocratiques les plus riches de la cité pouvaient se reconnaître sous ce vocable. Quelques-unes s'étaient en effet révoltées contre le pouvoir des Médicis et avaient réclamé l'instauration d'un régime comparable à celui de la « république » vénitienne. La condamnation par Lorenzo de l'impuissance de ces « républicains » permet à Musset d'évoquer sa propre époque, où triomphe la monarchie bourgeoise de Louis-Philippe, selon une conception de l'Histoire et de son utilité chère aux romantiques. Si leur nom rappelle la révolte des républicains des années 1830, l'attitude des « républicains » de la pièce est sans doute plus proche dans l'esprit de celle des membres de la grande bourgeoisie marchande et financière qui s'était révoltée contre la monarchie de Charles X. Leur seul but est d'assurer leur propre intérêt, pas réellement de changer le régime pour le rendre plus juste ou plus « démocratique ».

ACTE V

Scène 1
Au palais du duc.
Entrent VALORI, SIRE MAURICE
et GUICCIARDINI[1].
Une foule de courtisans circulent
dans la salle et dans les environs.

SIRE MAURICE. Giomo n'est pas revenu encore de son message[2] ; cela devient de plus en plus inquiétant.

GUICCIARDINI. Le voilà qui entre dans la salle.
Entre Giomo.

SIRE MAURICE. Eh bien ! qu'as-tu appris ?   5

GIOMO. Rien du tout.
Il sort.

GUICCIARDINI. Il ne veut pas répondre. Le cardinal Cibo est enfermé dans le cabinet du duc ; c'est à lui seul que les nouvelles arrivent. *(Entre un autre messager.)* Eh bien ! le   10
duc est-il retrouvé ? sait-on ce qu'il est devenu ?

LE MESSAGER. Je ne sais pas.
Il entre dans le cabinet.

VALORI. Quel événement épouvantable, messieurs, que cette disparition ! point de nouvelles du duc ! Ne disiez   15
vous pas, sire Maurice, que vous l'avez vu hier soir ? Il ne paraissait pas malade ?
Rentre Giomo.

GIOMO, *à sire Maurice.* Je puis vous le dire à l'oreille – le duc est assassiné.   20

---

1. **Guicciardini :** François Guichardin (1483-1540), historien et homme politique, soutenu par les Médicis et par Clément VII. Il contribua à l'élection de Côme de Médicis. Auteur d'une *Histoire de l'Italie.*
2. **Message :** désigne aussi bien la mission que l'objet.

SIRE MAURICE. Assassiné ! par qui ? où l'avez-vous trouvé ?

GIOMO. Où vous nous aviez dit — dans la chambre de Lorenzo.

SIRE MAURICE. Ah ! sang du diable ! le cardinal le sait-il ?

25 **GIOMO.** Oui, Excellence.

SIRE MAURICE. Que décide-t-il ? Qu'y a-t-il à faire ? Déjà le peuple se porte en foule vers le palais. Toute cette hideuse affaire a transpiré — nous sommes morts si elle se confirme — on nous massacrera.

30 *Des valets portant des tonneaux pleins de vin et de comestibles passent dans le fond.*

GUICCIARDINI. Que signifie cela ? Va-t-on faire des distributions au peuple ?

Entre un seigneur de la cour.

35 **LE SEIGNEUR.** Le duc est-il visible, messieurs ? Voilà un cousin à moi, nouvellement arrivé d'Allemagne, que je désire présenter à Son Altesse ; soyez assez bons pour le voir d'un œil favorable.

GUICCIARDINI. Répondez-lui, seigneur Valori ; je ne sais
40 que lui dire.

VALORI. La salle se remplit à tout instant de ces complimenteurs du matin. Ils attendent tranquillement qu'on les admette.

SIRE MAURICE, *à Giomo.* On l'a enterré là ?

45 **GIOMO.** Ma foi, oui, dans la sacristie. Que voulez-vous ! Si le peuple apprenait cette mort-là, elle pourrait en causer bien d'autres. Lorsqu'il en sera temps, on lui fera des obsèques publiques. En attendant, nous l'avons emporté dans un tapis.

VALORI. Qu'allons-nous devenir ?

50 **PLUSIEURS SEIGNEURS,** *s'approchant.* Nous sera-t-il bientôt permis de présenter nos devoirs à Son Altesse ? Qu'en pensez-vous, messieurs ?
Entre le cardinal Cibo.

LE CARDINAL. Oui, messieurs, vous pourrez entrer dans une heure ou deux. Le duc a passé la nuit à une mascarade, et il repose en ce moment. ₅₅

Des valets suspendent des dominos [1] *aux croisées.*

LES COURTISANS. Retirons-nous ; le duc est encore couché. Il a passé la nuit au bal.

Les courtisans se retirent. – Entrent les Huit. ₆₀

NICCOLINI [2]. Eh bien ! cardinal, qu'y a-t-il de décidé ?

LE CARDINAL. *« Primo avulso, non deficit alter Aureus, et simili fronde scit virga metallo* [3]. »*
(Il sort.)

NICCOLINI. Voilà qui est admirable ; mais qu'y a-t-il de ₆₅ fait ? Le duc est mort ; il faut en élire un autre, et cela le plus vite possible. Si nous n'avons pas un duc ce soir ou demain, c'en est fait de nous. Le peuple est en ce moment comme l'eau qui va bouillir.

VETTORI. Je propose Octavien de Médicis [4]. ₇₀

CAPPONI. Pourquoi ? il n'est pas le premier par les droits du sang.

ACCIAIUOLI. Si nous prenions le cardinal ?

SIRE MAURICE. Plaisantez-vous ?

RUCCELLAI. Pourquoi, en effet, ne prendriez-vous pas le ₇₅ cardinal, vous qui le laissez, au mépris de toutes les lois, se déclarer seul juge en cette affaire ?

---

1. **Dominos :** costumes de bal masqué sous la forme d'une robe ouverte, par devant, avec un capuchon.
2. **Niccolini… Acciaiuoli :** membres du conseil des Huit : Musset ne les cite pas dans la liste des personnages.
3. ***Primo… metallo :*** citation de Virgile, *Énéide* (VI, 143), traduction de Musset : « Le premier rameau d'or arraché se remplace par un autre et une branche du même métal pousse aussitôt. »
4. **Octavien de Médicis :** cousin très éloigné d'Alexandre, récusé parce qu'il n'est ni descendant direct de Côme l'Ancien ni de son frère Laurent.

VETTORI. C'est un homme capable de la bien diriger.

RUCCELLAI. Qu'il se fasse donner l'ordre du pape.

80 **VETTORI.** C'est ce qu'il a fait ; le pape a envoyé l'autorisation par un courrier que le cardinal a fait partir dans la nuit.

RUCCELLAI. Vous voulez dire par un oiseau, sans doute ; car un courrier commence par prendre le temps d'aller, avant d'avoir celui de revenir. Nous traite-t-on comme des
85 enfants ?

CANIGIANI[1], *s'approchant.* Messieurs, si vous m'en croyez, voilà ce que nous ferons : nous élirons duc de Florence son fils naturel[2] Julien.

RUCCELLAI. Bravo ! un enfant de cinq ans ! N'a-t-il pas
90 cinq ans, Canigiani ?

GUICCIARDINI, *bas.* Ne voyez-vous pas le personnage ? C'est le cardinal qui lui met dans la tête cette sotte proposition. Cibo serait régent, et l'enfant mangerait des gâteaux.

RUCCELLAI. Cela est honteux ; je sors de cette salle, si on
95 y tient de pareils discours.
Entre Corsi.

CORSI. Messieurs, le cardinal vient d'écrire à Côme de Médicis.

LES HUIT. Sans nous consulter ?

100 **CORSI.** Le cardinal a écrit pareillement à Pise, à Arezzo, et à Pistoie[3], aux commandants militaires. Jacques de Médicis[4] sera demain ici avec le plus de monde possible ; Alexandre Vitelli[5] est déjà dans la forteresse avec la garnison entière. Quant à Lorenzo, il est parti trois courriers
105 pour le joindre.

---

1. **Canigiani :** courtisan.
2. **Fils naturel :** le fils d'Alexandre.
3. **À Pise, à Arezzo et à Pistoie :** places fortes sous la dépendance de Florence.
4. **Jacques de Médicis :** Jean-Jacques Medichino, dit Médicis, condottiere au service de Charles Quint.
5. **Alexandre Vitelli :** mercenaire au service des Médicis.

RUCCELLAI. Qu'il se fasse duc tout de suite, votre cardinal, cela sera plus tôt fait.

CORSI. Il m'est ordonné de vous prier de mettre aux voix l'élection de Côme de Médicis, sous le titre provisoire de gouverneur de la République florentine[1].   110

GIOMO, *à des valets qui traversent la salle.* Répandez du sable autour de la porte, et n'épargnez pas le vin plus que le reste[2].

RUCCELLAI. Pauvre peuple ! quel badaud[3] on fait de toi !

SIRE MAURICE. Allons ! messieurs, aux voix. Voici vos   115
billets.

VETTORI. Côme est en effet le premier en droit après Alexandre ; c'est son plus proche parent.

ACCIAIUOLI. Quel homme est-ce ? je le connais fort peu.

CORSI. C'est le meilleur prince du monde.   120

GUICCIARDINI. Hé, hé, pas tout à fait cela. Si vous disiez le plus diffus[4] et le plus poli des princes, ce serait plus vrai.

SIRE MAURICE. Vos voix, seigneurs.

RUCCELLAI. Je m'oppose à ce vote formellement, et au   125
nom de tous les citoyens.

VETTORI. Pourquoi ?

RUCCELLAI. Il ne faut plus à la République ni princes, ni ducs, ni seigneurs — voici mon vote.
Il montre son billet blanc.   130

VETTORI. Votre voix n'est qu'une voix. Nous nous passerons de vous.

---

1. **Gouverneur de la République florentine :** titre porté par Côme de Médicis.
2. **Le vin que le reste :** il s'agit de gagner du temps en ne révélant au peuple la mort d'Alexandre qu'une fois réglée la succession.
3. **Badaud :** niais, nigaud.
4. **Diffus :** verbeux et vide de sens.

RUCCELLAI. Adieu donc ; je m'en lave les mains.

GUICCIARDINI, *courant après lui.* Eh ! mon Dieu ! Palla,
135 vous êtes trop violent.

RUCCELLAI. Laissez-moi ; J'ai soixante-deux ans passés ;
ainsi vous ne pouvez pas me faire grand mal désormais.
Il sort.

NICCOLINI. Vos voix, messieurs ! *(Il déplie les billets jetés*
140 *dans un bonnet.)* Il y a unanimité. Le courrier est-il parti
pour Trebbio[1] ?

CORSI. Oui, Excellence. Côme sera ici dans la matinée de
demain, à moins qu'il ne refuse.

VETTORI. Pourquoi refuserait-il ?

145 **NICCOLINI.** Ah ! mon Dieu ! s'il allait refuser, que deviendrions-
nous ? Quinze lieues[2] à faire d'ici à Trebbio pour trouver
Côme, et autant pour revenir, ce serait une journée de
perdue. Nous aurions dû choisir quelqu'un qui fût plus
près de nous.

150 **VETTORI.** Que voulez-vous — notre vote est fait, et il est
probable qu'il acceptera. — Tout cela est étourdissant.
Ils sortent.

---

1. **Trebbio** : résidence de Côme de Médicis.
2. **Quinze lieues :** en réalité, quinze milles, soit environ vingt-deux kilomètres.

Scène 2 *À Venise.*

PHILIPPE STROZZI, *dans son cabinet.* J'en étais sûr.
– Pierre est en correspondance avec le roi de France – le
voilà à la tête d'une espèce d'armée, et prêt à mettre le
bourg[1] à feu et à sang. C'est donc là ce qu'aura fait ce pauvre
nom de Strozzi, qu'on a respecté si longtemps ! il aura pro- 5
duit un rebelle et deux ou trois massacres. Ô ma Louise !
tu dors en paix sous le gazon ; l'oubli du monde entier est
autour de toi comme en toi, au fond de la triste vallée où
je t'ai laissée. *(On frappe à la porte.)* Entrez.
Entre Lorenzo[2]. 10

LORENZO. Philippe, je t'apporte le plus beau joyau de ta
couronne.

PHILIPPE. Qu'est-ce que tu jettes là ? une clef ?

LORENZO. Cette clef ouvre ma chambre, et dans ma
chambre est Alexandre de Médicis, mort de la main que 15
voilà.

PHILIPPE. Vraiment ! vraiment ! – cela est incroyable.

LORENZO. Crois-le si tu veux. – Tu le sauras par d'autres
que par moi.

PHILIPPE, *prenant la clef.* Alexandre est mort ! – cela est- 20
il possible ?

LORENZO. Que dirais-tu, si les républicains t'offraient
d'être duc à sa place ?

PHILIPPE. Je refuserais, mon ami.

LORENZO. Vraiment ! vraiment ! – cela est incroyable. 25

PHILIPPE. Pourquoi ? – cela est tout simple pour moi.

---

1. **Bourg :** Borgo San Sepolcro, petite ville près d'Arezzo.
2. **Entre Lorenzo :** cela se passe dans la nuit du lundi (Varchi).

LORENZO. Comme pour moi de tuer Alexandre. – Pourquoi ne veux-tu pas me croire ?

PHILIPPE. Ô notre nouveau Brutus ! je te crois et je
30 t'embrasse. – La liberté est donc sauvée ! – Oui, je te crois, tu es tel que tu me l'as dit. Donne-moi ta main. – Le duc est mort ! – ah ! il n'y a pas de haine dans ma joie – il n'y a que l'amour le plus pur, le plus sacré pour la patrie, j'en prends Dieu à témoin.

35 **LORENZO.** Allons, calme-toi. – Il n'y a rien de sauvé que moi, qui ai les reins brisés par les chevaux de l'évêque de Marzi.

PHILIPPE. N'as-tu pas averti nos amis ? N'ont-ils pas l'épée à la main à l'heure qu'il est ?

40 **LORENZO.** Je les ai avertis ; j'ai frappé à toutes les portes républicaines, avec la constance d'un frère quêteur[1] – je leur ai dit de frotter leurs épées, qu'Alexandre serait mort quand ils s'éveilleraient. – Je pense qu'à l'heure qu'il est ils se sont éveillés plus d'une fois, et rendormis à l'avenant[2].
45 – Mais, en vérité, je ne pense pas autre chose.

PHILIPPE. As-tu averti les Pazzi ? L'as-tu dit à Corsini ?

LORENZO. À tout le monde – je l'aurais dit, je crois, à la lune, tant j'étais sûr de n'être pas écouté.

PHILIPPE. Comment l'entends-tu[3] ?

50 **LORENZO.** J'entends qu'ils ont haussé les épaules, et qu'ils sont retournés à leurs dîners, à leurs cornets[4] et à leurs femmes.

PHILIPPE. Tu ne leur as donc pas expliqué l'affaire ?

---

1. **La constance d'un frère quêteur :** référence à l'abnégation et la persévérance d'un frère d'un ordre mendiant.
2. **À l'avenant :** de même, pareillement.
3. **Comment l'entends-tu ? :** que veux-tu dire ?
4. **Cornets :** cornets à dés.

LORENZO. Que diantre voulez-vous que j'explique ?
– Croyez-vous que j'eusse une heure à perdre avec cha- 55
cun d'eux ? Je leur ai dit : « Préparez-vous », et j'ai fait mon
coup.

PHILIPPE. Et tu crois que les Pazzi ne font rien ? – qu'en
sais-tu ? – Tu n'as pas de nouvelles depuis ton départ, et il
y a plusieurs jours que tu es en route[1]. 60

LORENZO. Je crois que les Pazzi font quelque chose ; je
crois qu'ils font des armes dans leur antichambre, en
buvant du vin du Midi de temps à autre, quand ils ont le
gosier sec.

PHILIPPE. Tu soutiens ta gageure ; ne m'as-tu pas voulu 65
parier ce que tu me dis là ? Sois tranquille, j'ai meilleure
espérance.

LORENZO. Je suis tranquille, plus que je ne puis dire.

PHILIPPE. Pourquoi n'es-tu pas sorti la tête du duc à la
main ? Le peuple t'aurait suivi comme son sauveur et son 70
chef.

LORENZO. J'ai laissé le cerf aux chiens – qu'ils fassent
eux-mêmes la curée.

PHILIPPE. Tu aurais déifié les hommes, si tu ne les méprisais.

LORENZO. Je ne les méprise point ; je les connais. Je suis 75
très persuadé qu'il y en a très peu de très méchants, beaucoup de lâches, et un grand nombre d'indifférents. Il y en
a aussi de féroces, comme les habitants de Pistoie, qui ont
trouvé dans cette affaire une petite occasion d'égorger
tous leurs chanceliers[2] en plein midi, au milieu des rues. 80
J'ai appris cela il n'y a pas une heure.

---

1. **En route :** quarante-huit heures en réalité, puisqu'Alexandre est tué le
samedi à minuit, tandis que Lorenzo arrive à Venise dans la nuit du
lundi.
2. **Chanceliers :** magistrats.

PHILIPPE. Je suis plein de joie et d'espoir ; le cœur me bat malgré moi.

LORENZO. Tant mieux pour vous.

85 **PHILIPPE.** Puisque tu n'en sais rien, pourquoi en parles-tu ainsi ? Assurément tous les hommes ne sont pas capables de grandes choses, mais tous sont sensibles aux grandes choses ; nies-tu l'histoire du monde entier ? Il faut sans doute une étincelle pour allumer une forêt, mais l'étincelle 90 peut sortir d'un caillou, et la forêt prend feu. C'est ainsi que l'éclair d'une seule épée peut illuminer tout un siècle.

LORENZO. Je ne nie pas l'histoire, mais je n'y étais pas.

PHILIPPE. Laisse-moi t'appeler Brutus ! si je suis un rêveur, laisse-moi ce rêve-là. Ô mes amis, mes compatriotes ! 95 vous pouvez faire un beau lit de mort au vieux Strozzi, si vous voulez.

LORENZO. Pourquoi ouvrez-vous la fenêtre ?

PHILIPPE. Ne vois-tu pas sur cette route un courrier qui arrive à franc étrier[1] ? Mon Brutus ! Mon grand Lorenzo ! 100 la liberté est dans le ciel ! je la sens, je la respire.

LORENZO. Philippe ! Philippe ! point de cela — fermez votre fenêtre — toutes ces paroles me font mal.

PHILIPPE. Il me semble qu'il y a un attroupement dans la rue ; un crieur lit une proclamation. Holà, Jean ! allez 105 acheter le papier de ce crieur.

LORENZO. Ô Dieu ! ô Dieu !

PHILIPPE. Tu deviens pâle comme un mort. Qu'as-tu donc ?

LORENZO. N'as-tu rien entendu ?

110 *Un domestique entre, apportant la proclamation.*

---

1. **À franc étrier :** en donnant libre champ au cheval.

PHILIPPE. Non ; lis donc un peu ce papier, qu'on criait dans la rue.

LORENZO, *lisant.* « À tout homme, noble ou roturier, qui tuera Lorenzo de Médicis, traître à la patrie et assassin de son maître, en quelque lieu et de quelque manière que ce soit, sur toute la surface de l'Italie, il est promis par le conseil des Huit à Florence : 1° quatre mille florins d'or sans aucune retenue ; 2° une rente de cent florins d'or par an, pour lui durant sa vie, et ses héritiers en ligne directe après sa mort ; 3° la permission d'exercer toutes les magistratures, de posséder tous les bénéfices et privilèges de l'État, malgré sa naissance s'il est roturier ; 4° grâce perpétuelle pour toutes ses fautes, passées et futures, ordinaires et extraordinaires. »

Signé de la main des Huit[1]. Eh bien, Philippe ! vous ne vouliez pas croire tout à l'heure que j'avais tué Alexandre ? Vous voyez bien que je l'ai tué.

PHILIPPE. Silence ! quelqu'un monte l'escalier. Cache-toi dans cette chambre.
Ils sortent.

---

1. **Signé de la main des Huit** : Musset reprend ici la proclamation de mise hors la loi de Lorenzo, tirée presque mot à mot de Varchi.

Scène 3
Florence. – Une rue.
Entrent DEUX GENTILSHOMMES.

PREMIER GENTILHOMME. N'est-ce pas le marquis Cibo qui passe là ? Il me semble qu'il donne le bras à sa femme.
Le marquis et la marquise passent.

DEUXIÈME GENTILHOMME. Il paraît que ce bon marquis
5 n'est pas d'une nature vindicative. Qui ne sait pas à Florence que sa femme a été la maîtresse du feu duc ?

PREMIER GENTILHOMME. Ils paraissent bien raccommodés. J'ai cru les voir se serrer la main.

DEUXIÈME GENTILHOMME. La perle des maris, en
10 vérité ! Avaler ainsi une couleuvre[1] aussi longue que l'Arno, cela s'appelle avoir l'estomac bon.

PREMIER GENTILHOMME. Je sais que cela fait parler – cependant je ne te conseillerais pas d'aller lui en parler à lui-même ; il est de la première force à toutes les armes, et
15 les faiseurs de calembours craignent l'odeur de son jardin.

DEUXIÈME GENTILHOMME. Si c'est un original, il n'y a rien à dire.
Ils sortent.

---

1. **Avaler ainsi une couleuvre :** essuyer un affront sans protester.

Scène 4
Une auberge.
Entrent PIERRE STROZZI
et UN MESSAGER.

PIERRE. Ce sont ses propres paroles ?

LE MESSAGER. Oui, Excellence ; les paroles du roi lui-même.

PIERRE. C'est bon. *(Le messager sort.)* Le roi de France protégeant la liberté de l'Italie, c'est justement comme un voleur protégeant contre un autre voleur une jolie femme en voyage. Il la défend jusqu'à ce qu'il la viole. Quoi qu'il en soit, une route s'ouvre devant moi, sur laquelle il y a plus de bons grains que de poussière. Maudit soit ce Lorenzaccio, qui s'avise de devenir quelque chose ! Ma vengeance m'a glissé entre les doigts comme un oiseau effarouché ; je ne puis plus rien imaginer ici qui soit digne de moi. Allons faire une attaque vigoureuse au bourg, et puis laissons là ces femmelettes qui ne pensent qu'au nom de mon père, et qui me toisent[1] toute la journée pour chercher par où je lui ressemble. Je suis né pour autre chose que pour faire un chef de bandits.
Il sort.

---

1. **Toisent :** considèrent attentivement et avec une sorte de dédain.

Scène 5 *Une place. – Florence.*
L'ORFÈVRE *et* LE MARCHAND
DE SOIE, *assis.*

LE MARCHAND. Observez bien ce que je dis, faites atten-
tion à mes paroles. Le feu duc Alexandre a été tué l'an
1536[1], qui est bien l'année où nous sommes – suivez-moi
toujours. – Il a donc été tué l'an 1536, voilà qui est fait. Il
5 avait vingt-six ans ; remarquez-vous cela ? Mais ce n'est
encore rien ; il avait donc vingt-six ans, bon. Il est mort le
6 du mois ; ah ! ah ! saviez-vous ceci ? n'est-ce pas justement le 6 qu'il est mort ? Écoutez maintenant. Il est mort à
six heures de la nuit[2]. Qu'en pensez-vous, père Mondella ?
10 voilà de l'extraordinaire, ou je ne m'y connais pas. Il est
donc mort à six heures de la nuit. Paix ! ne dites rien
encore. Il avait six blessures. Eh bien ! cela vous frappe-t-il
à présent ? Il avait six blessures, à six heures de la nuit, le
6 du mois, à l'âge de vingt-six ans, l'an 1536. Maintenant,
15 un seul mot – il avait régné six ans.

L'ORFÈVRE. Quel galimatias me faites-vous là, voisin ?

LE MARCHAND. Comment ! comment ! vous êtes donc
absolument incapable de calculer ? vous ne voyez pas ce
qui résulte de ces combinaisons surnaturelles que j'ai
20 l'honneur de vous expliquer ?

L'ORFÈVRE. Non, en vérité, je ne vois pas ce qui en
résulte.

---

1. **1536 :** dans le calendrier de l'époque, l'année commence à Pâques. Les
   événements se passent donc en 1537.
2. **Six heures de la nuit :** « en comptant à la manière des Florentins, qui
   font commencer une nouvelle journée sitôt le soleil couché » (Varchi),
   soit vers minuit.

LE MARCHAND. Vous ne le voyez pas ? Est-ce possible, voisin, que vous ne le voyiez pas ?

L'ORFÈVRE. Je ne vois pas qu'il en résulte la moindre des choses. — À quoi cela peut-il nous être utile ?

LE MARCHAND. Il en résulte que six six ont concouru à la mort d'Alexandre. Chut ! ne répétez pas ceci comme venant de moi. Vous savez que je passe pour un homme sage et circonspect[1] ; ne me faites point de tort, au nom de tous les saints ! La chose est plus grave qu'on ne pense, je vous le dis comme à un ami.

L'ORFÈVRE. Allez vous promener ! je suis un homme vieux, mais pas encore une vieille femme. Le Côme arrive aujourd'hui, voilà ce qui résulte le plus clairement de notre affaire ; il nous est poussé un beau dévideur de paroles dans votre nuit de six six. Ah ! mort de ma vie ! cela ne fait-il pas honte ? Mes ouvriers, voisin, les derniers de mes ouvriers, frappaient avec leurs instruments sur les tables, en voyant passer les Huit, et ils leur criaient : « Si vous ne savez ni ne pouvez agir, appelez-nous, qui agirons. »

LE MARCHAND. Il n'y a pas que les vôtres qui aient crié ; c'est un vacarme de paroles dans la ville, comme je n'en ai jamais entendu, même par ouï dire.

L'ORFÈVRE. Les uns courent après les soldats, les autres après le vin qu'on distribue, et ils s'en remplissent la bouche et la cervelle, afin de perdre le peu de sens commun et de bonnes paroles qui pourraient leur rester.

LE MARCHAND. Il y en a qui voulaient rétablir le Conseil, et élire librement un gonfalonier[2], comme jadis.

---

1. **Circonspect :** qui agit avec réserve.
2. **Gonfalonier :** magistrat suprême devant veiller à l'exécution des lois : charge instituée au XIIIᵉ siècle à Florence, supprimée par Alexandre en 1532.

L'ORFÈVRE. Il y en a qui voulaient, comme vous dites, mais il n'y en a pas qui aient agi. Tout vieux que je suis, j'ai été au Marché Neuf, moi, et j'ai reçu dans la jambe un bon coup de hallebarde. Pas une âme n'est venue à mon
55 secours. Les étudiants seuls se sont montrés.

LE MARCHAND. Je le crois bien. Savez-vous ce qu'on dit, voisin ? On dit que le provéditeur, Roberto Corsini, est allé hier soir à l'assemblée des républicains, au palais Salviati.

L'ORFÈVRE. Rien n'est plus vrai. Il a offert de livrer la for-
60 teresse aux amis de la liberté, avec les provisions, les clefs, et tout le reste.

LE MARCHAND. Et il l'a fait, voisin ? est-ce qu'il l'a fait ? c'est une trahison de haute justice.

L'ORFÈVRE. Ah bien oui ! on a braillé, bu du vin sucré, et
65 cassé des carreaux ; mais la proposition de ce brave homme n'a seulement pas été écoutée. Comme on n'osait pas faire ce qu'il voulait, on a dit qu'on doutait de lui, et qu'on le soupçonnait de fausseté dans ses offres. Mille millions de diables ! que j'enrage ! Tenez, voilà les courriers
70 de Trebbio qui arrivent ; Côme n'est pas loin d'ici. Bonsoir, voisin, le sang me démange ! il faut que j'aille au palais.
Il sort.

LE MARCHAND. Attendez donc, voisin ; je vais avec vous.
Il sort. Entre un précepteur avec le petit Salviati, et un autre
75 *avec le petit Strozzi.*

LE PREMIER PRÉCEPTEUR. *Sapientissime doctor*[1], comment se porte Votre Seigneurie ? Le trésor de votre précieuse santé est-il dans une assiette[2] régulière, et votre équilibre se maintient-il convenable, par ces tempêtes où
80 nous voilà ?

---

1. **Sapientissime doctor :** très sage docteur.
2. **Assiette :** position.

LE DEUXIÈME PRÉCEPTEUR. C'est chose grave, seigneur docteur, qu'une rencontre aussi érudite et aussi fleurie[1] que la vôtre, sur cette terre soucieuse et lézardée. Souffrez que je presse cette main gigantesque, d'où sont sortis les chefs-d'œuvre de notre langue. Avouez-le, vous avez fait depuis peu un sonnet.

LE PETIT SALVIATI. Canaille de Strozzi que tu es !

LE PETIT STROZZI. Ton père a été rossé, Salviati.

LE PREMIER PRÉCEPTEUR. Ce pauvre ébat[2] de notre[3] muse serait-il allé jusqu'à vous, qui êtes homme d'art si consciencieux, si large et si austère ? Des yeux comme les vôtres, qui remuent des horizons si dentelés, si phosphorescents, auraient-ils consenti à s'occuper des fumées peut-être bizarres et osées d'une imagination chatoyante ?

LE DEUXIÈME PRÉCEPTEUR. Oh ! si vous aimez l'art, et si vous nous aimez, dites-nous, de grâce, votre sonnet. La ville ne s'occupe que de votre sonnet.

LE PREMIER PRÉCEPTEUR. Vous serez peut-être étonné que moi, qui ai commencé par chanter la monarchie en quelque sorte, je semble cette fois chanter la république.

LE PETIT SALVIATI. Ne me donne pas de coups de pied, Strozzi.

LE PETIT STROZZI. Tiens, chien de Salviati, en voilà encore deux.

LE PREMIER PRÉCEPTEUR. Voici les vers : Chantons la Liberté, qui refleurit plus âpre…

LE PETIT SALVIATI. Faites donc finir ce gamin-là, monsieur ; c'est un coupe-jarret. Tous les Strozzi sont des coupe-jarrets.

---

1. **Fleurie :** ornée, adjectif qualifiant habituellement un style.
2. **Ébat :** divertissement.
3. **Notre :** pluriel de majesté.

110 **LE DEUXIÈME PRÉCEPTEUR.** Allons ! petit, tiens-toi tranquille.

LE PETIT STROZZI. Tu y reviens en sournois ? Tiens ! canaille, porte cela à ton père, et dis-lui qu'il le mette avec l'estafilade[1] qu'il a reçue de Pierre Strozzi, empoisonneur
115 que tu es ! Vous êtes tous des empoisonneurs.

LE PREMIER PRÉCEPTEUR. Veux-tu te taire, polisson !
Il le frappe.

LE PETIT STROZZI. Aye, aye ! il m'a frappé.

LE PREMIER PRÉCEPTEUR. Chantons la Liberté, qui
120 refleurit plus âpre[2],
Sous des soleils plus mûrs et des cieux plus vermeils.

LE PETIT STROZZI. Aye ! aye ! il m'a écorché l'oreille.

LE DEUXIÈME PRÉCEPTEUR. Vous avez frappé trop fort, mon ami.
125 *Le petit Strozzi rosse le petit Salviati.*

PREMIER PRÉCEPTEUR. Eh bien ! qu'est-ce à dire ?

DEUXIÈME PRÉCEPTEUR. Continuez, je vous en supplie.

LE PREMIER PRÉCEPTEUR. Avec plaisir, mais ces enfants ne cessent pas de se battre.
130 *Les enfants sortent en se battant. Ils les suivent.*

---

1. **Estafilade :** entaille faite avec une arme tranchante.
2. **Plus âpre :** voir l'expression « l'âpre liberté » dans l'ode « À la colonne » de Victor Hugo, *Les Chants du crépuscule.*

Scène 6

Venise. – Le cabinet de Strozzi.
Entrent PHILIPPE *et* LORENZO,
tenant une lettre.

LORENZO. Voilà une lettre qui m'apprend que ma mère est morte[1]. Venez donc faire un tour de promenade, Philippe.

PHILIPPE. Je vous en supplie, mon ami, ne tentez pas la destinée. Vous allez et venez continuellement, comme si cette proclamation de mort n'existait pas.

LORENZO. Au moment où j'allais tuer Clément VII, ma tête a été mise à prix à Rome. Il est naturel qu'elle le soit dans toute l'Italie, aujourd'hui que j'ai tué Alexandre. Si je sortais de l'Italie, je serais bientôt sonné à son de trompe dans toute l'Europe, et à ma mort, le bon Dieu ne manquera pas de faire placarder ma condamnation éternelle dans tous les carrefours de l'immensité.

PHILIPPE. Votre gaieté est triste comme la nuit ; vous n'êtes pas changé, Lorenzo.

LORENZO. Non, en vérité, je porte les mêmes habits, je marche toujours sur mes jambes, et je bâille avec ma bouche ; il n'y a de changé en moi qu'une misère — c'est que je suis plus creux et plus vide qu'une statue de fer-blanc.

PHILIPPE. Partons ensemble ; redevenez un homme. Vous avez beaucoup fait, mais vous êtes jeune.

LORENZO. Je suis plus vieux que le bisaïeul de Saturne[2] — je vous en prie, venez faire un tour de promenade.

PHILIPPE. Votre esprit se torture dans l'inaction ; c'est là votre malheur. Vous avez des travers, mon ami.

---

1. **Morte :** la mère de Lorenzo, Marie Soderini, mourut après son fils.
2. **Saturne :** dieu romain du Temps, ancêtre de tous les dieux.

LORENZO. J'en conviens ; que les républicains n'aient rien fait à Florence, c'est là un grand travers de ma part. Qu'une centaine de jeunes étudiants, braves et déterminés, se soient fait massacrer en vain, que Côme, un planteur de choux, ait été élu à l'unanimité, oh ! je l'avoue, je l'avoue, ce sont là des travers impardonnables, et qui me font le plus grand tort.

PHILIPPE. Ne raisonnons point sur un événement qui n'est pas achevé. L'important est de sortir d'Italie ; vous n'avez point encore fini sur la terre.

LORENZO. J'étais une machine à meurtre, mais à un meurtre seulement.

PHILIPPE. N'avez-vous pas été heureux autrement que par ce meurtre ? Quand vous ne devriez faire désormais qu'un honnête homme, pourquoi voudriez-vous mourir ?

LORENZO. Je ne puis que vous répéter mes propres paroles : Philippe, j'ai été honnête. — Peut-être le redeviendrais-je, sans l'ennui qui me prend. — J'aime encore le vin et les femmes ; c'est assez, il est vrai, pour faire de moi un débauché, mais ce n'est pas assez pour me donner envie de l'être. Sortons, je vous en prie.

PHILIPPE. Tu te feras tuer dans toutes ces promenades.

LORENZO. Cela m'amuse de les voir. La récompense est si grosse, qu'elle les rend presque courageux. Hier, un grand gaillard à jambes nues m'a suivi un gros quart d'heure au bord de l'eau, sans pouvoir se déterminer à m'assommer. Le pauvre homme portait une espèce de couteau long comme une broche ; il le regardait d'un air si penaud qu'il me faisait pitié — c'était peut-être un père de famille qui mourait de faim.

PHILIPPE. Ô Lorenzo, Lorenzo ! ton cœur est très malade. C'était sans doute un honnête homme ; pourquoi attribuer à la lâcheté du peuple le respect pour les malheureux ?

LORENZO. Attribuez cela à ce que vous voudrez. Je vais 60
faire un tour au Rialto[1].
Il sort.

PHILIPPE, *seul.* Il faut que je le fasse suivre par quelqu'un
de mes gens. Holà ! Jean ! Pippo ! holà ! *(Entre un domesti-*
que.) Prenez une épée, vous et un autre de vos camarades, 65
et tenez-vous à une distance convenable du seigneur
Lorenzo, de manière à pouvoir le secourir si on l'attaque.

JEAN. Oui, monseigneur.
Entre Pippo.

PIPPO. Monseigneur, Lorenzo est mort[2]. Un homme était 70
caché derrière la porte, qui l'a frappé par-derrière, comme
il sortait.

PHILIPPE. Courons vite. Il n'est peut-être que blessé.

PIPPO. Ne voyez-vous pas tout ce monde ? Le peuple s'est
jeté sur lui. Dieu de miséricorde ! On le pousse dans la 75
lagune.

PHILIPPE. Quelle horreur ! quelle horreur ! Eh quoi ! pas
même un tombeau ?
Il sort.

Scène 7 *Florence. – La grande place ;*
des tribunes publiques sont
remplies de monde.
Des gens du peuple accourent
de tous côtés.

Vive Médicis ! Il est duc, duc ! il est duc.

LES SOLDATS. Gare, canaille !

---

1. **Rialto :** pont de Venise sur le Grand Canal, achevé en 1592.
2. **Lorenzo est mort :** Musset s'écarte de la vérité historique puisque
Lorenzo est mort plus de dix ans après, assassiné par un agent de
Côme à Venise, le 26 février 1548.

Acte V - Scène 7

LE CARDINAL CIBO, *sur une estrade, à Côme de Médicis.*
Seigneur, vous êtes duc de Florence. Avant de recevoir de
⁵ mes mains la couronne que le pape et César m'ont chargé
de vous confier, il m'est ordonné de vous faire jurer quatre
choses.

CÔME. Lesquelles, cardinal ?

LE CARDINAL. Faire la justice sans restriction ; ne jamais
¹⁰ rien tenter contre l'autorité de Charles Quint ; venger la
mort d'Alexandre, et bien traiter le seigneur Jules et la
signora Julia, ses enfants naturels.

CÔME. Comment faut-il que je prononce ce serment ?

LE CARDINAL. Sur l'Évangile.
¹⁵ *Il lui présente l'Évangile.*

CÔME. Je le jure à Dieu — et à vous, cardinal. Maintenant
donnez-moi la main. *(Ils s'avancent vers le peuple. On
entend Côme parler dans l'éloignement.)*
« Très nobles et très puissants Seigneurs,
²⁰ Le remerciement que je veux faire à Vos très illustres et
très gracieuses Seigneuries, pour le bienfait si haut que je
leur dois, n'est pas autre que l'engagement qui m'est bien
doux, à moi si jeune comme je suis, d'avoir toujours
devant les yeux, en même temps que la crainte de Dieu,
²⁵ l'honnêteté et la justice, et le dessein de n'offenser personne, ni dans les biens ni dans l'honneur, et, quant au
gouvernement des affaires, de ne jamais m'écarter du
conseil et du jugement des très prudentes et très judicieuses
Seigneuries auxquelles je m'offre en tout, et recommande
³⁰ bien dévotement[1]. »

---

1. **Dévotement :** Musset transcrit et traduit littéralement, avec quelques
aménagements minimes, la harangue de Côme rapportée par Varchi.

Clefs d'analyse

Acte V, scène 7.

Compréhension

Le langage

- Caractériser la « gaieté triste » de Lorenzo dénoncée par Philippe.
- Relever les expressions qui l'expriment dans ses répliques.

Les comparaisons

- Relever les différents objets auxquels se compare Lorenzo.
- Chercher des indices renvoyant à la thématique du masque dans le discours de Lorenzo.

Réflexion

Le corps

- Expliquer le terme « misère » employé par Lorenzaccio.
- Discuter l'importance de la disparition du corps de Lorenzo.

La mort

- Expliquer la concomitance de la mort de Lorenzo et de celle de sa mère, rapprochées artificiellement par Musset dans la pièce.
- Discuter les autres symptômes qui font de Lorenzo un mort en sursis depuis le début de la scène.
- Analyser le diagnostic établi par Philippe dans sa dernière réplique à Lorenzo.

À retenir :

Le dénouement désigne la fin d'une pièce. Il présente la résolution de la difficulté (encore dite « nœud » de la pièce) grâce à la découverte d'une issue ou à l'accomplissement d'un malheur. En réalité, le dénouement de Lorenzaccio ne peut être résumé à la scène qui voit mourir le héros éponyme, ni même à la suivante, qui clôt la pièce par le retour de Médicis au pouvoir. Plusieurs scènes viennent rappeler que nous n'avons pas affaire à un réel dénouement : contrairement à la pièce tragique qui se caractérisait par une progression aboutissant à la résolution des conflits initiaux, le drame est ici circulaire.

Synthèse Acte V

Victoire des « anciens » sur les « jeunes »

Personnages

Le grand vainqueur de la pièce : le cardinal Cibo

Le personnage de Cibo, grand manipulateur, semble avoir échoué en même temps que sa belle-sœur à la fin de l'acte IV. Il ne réussit pas à utiliser celle-ci pour prendre de l'ascendant sur le duc et l'influencer. De plus, le duc se moque éperdument des conseils de prudence que Cibo lui adresse à la fin de l'acte, juste avant son assassinat. Pourtant, à la fin de l'acte V, Cibo apparaît comme le grand (le seul ?) bénéficiaire de l'action. Il a enfin mis en place un duc qui est prêt à écouter ses conseils et à appliquer sa politique. Il est logique qu'il tire les fruits d'une action fondamentalement circulaire. Il est en effet le représentant de l'ordre établi face aux forces de la jeunesse qui se sont ébranlées pendant toute la pièce. Il devient le metteur en scène de l'action politique dans la dernière scène, où il guide le nouveau duc, Côme. Pour tous les autres personnages, la fin de la pièce ne marque aucune rupture : ils sont restés les mêmes, radicalisant leurs caractéristiques de départ. Ainsi, le vieux Philippe Strozzi ne sort plus de son bureau, et le couple Cibo s'est reformé, mais suscite des commérages. Seul Lorenzo, qui avait prévu cet immobilisme, sort dignement de la pièce, mais renonce à la vie.

Langage

Une éloquence impuissante

Omniprésente, la politique apparaît presque comme le personnage central de la pièce. Cibo en est d'ailleurs l'une des incarnations les plus intrigantes, aux deux sens du terme. Il est donc naturel que l'éloquence politique tienne une place importante dans la pièce. Les deux premières scènes de l'acte, qui suivent le séisme de la mort du duc, se présentent comme des morceaux de bravoure de l'éloquence politique. Les répliques sont cinglantes. Chacun cherche à ridiculiser la parole de l'autre et à avoir le dernier mot. Cette quête est cependant sans issue : tous les personnages cherchent à conclure, sans y parvenir. Seule l'ironie féroce de Lorenzo, qui est travestissement et défiance de la parole, peut se présenter comme une conclusion. D'ailleurs, les supplications de Philippe Strozzi (6) ne peuvent finalement détourner Lorenzo de sa volonté de mourir.

Société

Une révolution escamotée

L'absence de tout renouveau politique pour Florence après la mort d'Alexandre apparaît comme le signe d'une révolte escamotée, confisquée à ses initiateurs. Le pénible sentiment de rabâchage et d'échec qu'inspire le couronnement de Côme à la fin de la pièce est, là encore, une référence à l'actualité politique de l'époque de Musset. La monarchie de Juillet, issue des Trois Glorieuses qui avaient porté Louis-Philippe sur le trône, avait en effet suscité beaucoup d'espoir chez les libéraux. Louis-Philippe accorde d'abord un certain nombre de libertés symboliques qui correspondent à leurs aspirations. Mais, rapidement, les républicains sont déçus. La bourgeoisie d'affaires est la seule bénéficiaire de la révolution. La jeunesse, nombreuse à l'époque de Musset du fait d'un fort accroissement démographique, se sent dépossédée, comme les nombreux personnages jeunes de *Lorenzaccio*. De fait, dans la pièce, ce sont bien les « vieux » établis qui influent sur le cours des événements, tel Cibo.

POUR
APPROFONDIR

Genre, action, personnages

Genre et registres

Lorenzaccio : un des sommets du drame romantique

Bien qu'il n'ait jamais été représenté durant les années 1830, période de gloire du drame romantique, *Lorenzaccio* apparaît comme la pièce la plus significative du genre. Bien que l'œuvre ait paru marginale en son temps, elle s'inscrit pleinement dans l'histoire du drame. Une histoire assez courte, puisque le drame romantique ne fut presque plus représenté après les années fastes de la décennie 1830. L'échec des *Burgraves* de Victor Hugo, en 1843, marque la fin de la période du drame romantique en France. Malgré l'aspect archétypique de sa pièce, et alors que les romantiques publient de très nombreux ouvrages théoriques sur le théâtre, Musset n'en écrivit quasiment aucun.

Les auteurs romantiques souhaitent renouveler intégralement le genre dramatique et sont très conscients de la tâche qu'ils s'assignent. C'est ce qui explique que paraissent d'abord des ouvrages théoriques sur le théâtre, alors que le drame peine à s'incarner sur scène. Le drame se construit par opposition aux règles du théâtre classique, qui régissent le théâtre « sérieux » depuis le milieu du xviie siècle. Ce sont d'ailleurs les auteurs romantiques qui qualifient le théâtre du xviie de « classique » et le considèrent comme un mouvement à part, opposé au baroque. Ils construisent leur identité en s'opposant aux règles anciennes. Le premier ouvrage critique qui cherche à donner une définition de ce que serait un théâtre romantique est *Racine et Shakespeare*, rédigé en 1825 par Henry Beyle, le futur Stendhal.

Si les pièces de théâtre sont jugées en France, depuis le xviie siècle, selon des règles très strictes, cette passion du théâtre régulier ne s'est pas développée ailleurs. Les grands dramaturges étrangers ne cherchent aucunement à se conformer à ces règles. Et si elles sont censées être inspirées par Aristote, elles ne sont pas une référence universelle et ont même été amplement réélaborées par les auteurs du XVIIe siècle. Pour se défaire de leur carcan, les romantiques se tournent vers le théâtre européen. Leur modèle absolu est Shakespeare, qui est enfin traduit et adapté en France dans les années 1820. Les romantiques anglais comme Byron, et surtout allemands comme Goethe et Schiller, sont également une source d'inspiration importante. *Lorenzaccio* doit ainsi beaucoup à une pièce de Schiller, *La Conjuration de Fiesque* (1783).

Le théoricien du drame le plus prolixe, Victor Hugo, fut aussi un de ses auteurs les plus importants. En 1827, il expose sa définition du drame dans la longue préface de *Cromwell*. En réalité, cette œuvre ne put être jouée : le foisonnement de ses personnages et des décors rendait la mise en scène presque impossible. Elle demeure cependant célèbre par sa préface programmatique. Hugo, comme Musset avec *Lorenzaccio*, donne à sa pièce le nom de son héros. Cependant, l'histoire n'est plus centrée seulement autour du drame personnel de celui-ci. Les tourments individuels sont désormais indissociables de problèmes collectifs, qui occupent une place équivalente dans la pièce. *Lorenzaccio* ne se termine pas avec la réalisation du meurtre projeté par le héros. Tout un acte suit cet événement et s'attache au drame de Florence, qui tombe sous la coupe d'un nouveau tyran. Lorenzo apparaît peu dans ce dernier acte, et meurt à l'avant-dernière scène.

Le succès qui lance réellement le drame romantique sur la scène est sans conteste *Hernani*, pièce de Victor Hugo jouée en 1830. *Henri III et sa cour*, d'Alexandre Dumas, avait déjà connu un succès retentissant l'année précédente. Cependant, c'est la pièce de Hugo qui déchaîna la polémique, en lançant l'affrontement entre néoclassiques et romantiques, connu depuis comme la « bataille d'*Hernani* ».

Genre, action, personnages

Le foisonnement du réel plutôt que le vraisemblable

L'un des éléments de la doctrine classique que rejettent le plus fermement les auteurs du drame est la règle des trois unités. Celle-ci découlait de l'obligation de vraisemblance, repoussée depuis par les romantiques, qui lui préfèrent le réel, quitte à ce qu'il semble invraisemblable. Peu importe que le public n'ait pas l'impression de vivre la scène en temps réel. Par ailleurs, le drame ne répond pas non plus à la règle de la bienséance. Comme dans les premières tragi-comédies baroques, on se bat et on tue sur scène. Ainsi l'épisode du meurtre du duc, dans *Lorenzaccio*, peut-il se dérouler sur scène. Il n'a pas à être raconté après coup par l'un des personnages, comme cela aurait été le cas dans une tragédie classique.

Les règles classiques se sont imposées sous l'influence, ou tout au moins à la grande satisfaction du pouvoir monarchique, centralisateur et autoritaire, qui s'est affirmé dans le deuxième quart du XVIIe siècle. Le pouvoir désirait qu'apparaisse sur la scène l'image d'une société policée. Même si les plus grands auteurs romantiques furent légitimistes, comme Hugo, ils défendent une vision de la société à l'opposé de celle-là.

Le refus des unités

L'unité d'action est la seule parmi les anciennes règles que les romantiques considèrent avec faveur. Dans *Lorenzaccio*, on relève certes une pluralité d'intrigues, mais une grande cohérence unit les trois actions concurrentes (projets de la marquise Cibo, des Strozzi et de Lorenzo pour débarrasser Florence de la tyrannie d'Alexandre). Toutes convergent vers le duc. Néanmoins, ces intrigues alternent : les personnages ne s'unissent pas dans un projet commun, ce qui explique en partie leur échec. À la tension tragique succède une action qui se dilate pour laisser plus de place aux déchirements du héros, propres au romantisme. Ainsi, dans *Lorenzaccio*, le meurtre du duc est précédé à l'acte IV par pas moins de quatre monologues, et il est exécuté rapidement à la dernière (et onzième !) scène de l'acte.

Genre, action, personnages

L'unité d'espace disparaît tout à fait. Pour donner l'illusion du réel, le drame doit absolument s'attacher à la couleur locale. Le décor prend beaucoup plus d'importance et s'apparente à de vastes tableaux. De ce point de vue, *Lorenzaccio* multiplie les lieux les plus variés. Cette liberté tient au statut initial de la pièce, conçue pour être *Un spectacle dans un fauteuil*. Florence, Montolivet et Venise sont le théâtre de l'action. Vingt-cinq propositions de décors différentes apparaissent dans les didascalies. Les lieux de plein air, tels les jardins ou les bords de l'Arno, ajoutent à la difficulté de la mise en scène. L'espace chez Musset est animé : il est marqué par le va-et-vient des passants ou l'errance des personnages. De ce point de vue, on peut même considérer *Lorenzaccio* comme une pièce précinématographique, avec ses contre-plongées et ses travellings.

Le temps se dilate, comme l'espace. Le théâtre classique cherchait à montrer un moment de crise, qui pouvait se résumer à une journée. Le drame romantique met au contraire en scène la durée. Pour ne pas dissoudre l'intérêt du spectateur, les auteurs sont cependant amenés à accélérer le cours des événements réels. Dans la réalité, Lorenzo de Médicis est assassiné douze ans après le meurtre du duc Alexandre. Musset se contente de le faire mourir quelques jours plus tard. L'action de *Lorenzaccio* est ainsi resserrée sur une dizaine de jours. L'aspect novateur de la pièce tient en grande partie au fait qu'elle n'était pas soumise aux contraintes de son temps et n'était pas destinée à être jouée.

L'influence du mélodrame

Dans les années 1830, le mélodrame règne en maître sur la scène du théâtre populaire, dit théâtre « de boulevard ». Celui-ci offre une vision manichéenne de l'histoire, où le pathétique occupe une place prépondérante. Les effets sont amplifiés et les caractères poussés à l'extrême. L'angélisme de la mère et de la tante de Lorenzo, ainsi que la vilenie odieuse du cardinal Cibo, sont dus à l'influence du mélodrame sur le drame romantique. Musset, même s'il y recourt moins que les autres auteurs dramatiques, emprunte au mélodrame son goût pour les « coups de théâtre » au pathétique outré. Il en va ainsi, par exemple, de l'aveu de la marquise Cibo à son mari, qu'elle a trompé avec le duc (IV, 4).

Représenter toute la société

Si les auteurs romantiques refusent les règles, c'est que celles-ci ne peuvent s'accorder avec le projet qui est le leur, c'est-à-dire rendre compte de l'Histoire et de la société dans toute son amplitude. Le drame romantique se veut « miroir de la totalité d'une société » (Anne Ubersfeld, *Le Drame romantique*). Le choix de sujets historiques permet des allusions politiques contemporaines. Pour exprimer la complexité de la vie, le théâtre devait, aux yeux des romantiques, mêler le style haut et le style bas, le sublime et le grotesque, le beau et l'horrible. Le drame doit illustrer l'idée chrétienne de l'homme composé de deux êtres : l'un périssable, charnel ; l'autre immortel, éthéré. Il doit aussi rendre compte de la diversité des caractères et des positions sociales, d'où l'éclatement du nombre de personnages. Dans *Lorenzaccio*, ils ne sont pas moins de cinquante à intervenir, du marchand au duc, les personnes de haut rang mêlées aux plus simples. En cela aussi, le drame romantique se distingue du théâtre classique.

Plus que le théâtre classique, le théâtre romantique affiche la volonté de jouer sur les émotions des spectateurs. Il est cependant trop livresque ; on le comprend bien lorsque l'on voit les difficultés posées par la mise en scène de *Lorenzaccio*. Il emprunte ses acteurs et ses conventions (intrigues rocambolesques, déguisements...) au mélodrame, alors qu'il soutient une visée didactique forte. Il se donne pour mission de représenter toute la société et d'aider à sa réforme. Ce théâtre total engendre la confusion dans l'esprit du spectateur. D'ailleurs, le succès de ce genre n'est pas dû à cette ambition, mais plutôt à la poétique du style et à la peinture de destinées individuelles, telle celle de Lorenzo de Médicis. Bien que l'intrigue politique et l'aspect social tiennent une grande place dans son œuvre, Musset était plus influencé par Vigny *(Chatterton)*, centré sur l'individu et ses tourments, que par Hugo et ses grandes fresques sociales. Il suivait en cela pleinement les principes du romantisme. Depuis Chateaubriand (1768-1848), le Moi isolé dans la société, qui lutte contre la fatalité, est en effet le sujet de prédilection de la poésie romantique.

La variété des registres

Selon l'esthétique romantique, tout homme est à la fois dérisoire et sublime. De ce fait, la variété des registres s'impose à tous. Cependant, dans *Lorenzaccio*, c'est cette diversité qui caractérise les personnages, lesquels se définissent autant par leur langage que par leurs actions. Le lyrisme qualifie les personnages poétiques et méditatifs, comme la marquise, l'artiste Tebaldeo ou la tante et la mère de Lorenzo. Le duc, au contraire, emploie un vocabulaire brutal et grossier qui contraste avec l'importance de sa fonction.

Le registre tragique est présent au travers de la fatalité qui écrase Lorenzo. Celle-ci n'est cependant pas du même ordre que dans les tragédies classiques. Elle n'est pas le résultat de la malignité d'une force qui s'exerce de l'extérieur sur le héros. C'est le déchirement intérieur entre l'idéal que Lorenzo croyait sublime et le grotesque de la société florentine, représenté dans le personnage du marchand, qui le conduit à sa perte.

Le registre comique s'applique en priorité aux marchands ridicules. Il n'est cependant pas absent dans la bouche du héros lui-même, qui doit se ridiculiser, comme l'Hamlet de Shakespeare, pour mener son action à bien. L'alliance du grotesque et du comique dans la folie de Lorenzo ne provoque pas que le rire. Une féroce ironie est sans cesse liée à l'usage du comique par Musset.

Le drame romantique use largement des registres lyrique et pathétique. *Lorenzaccio* se distingue de ce point de vue.

Genre, action, personnages

L'évocation de l'héroïsme a toujours pour pendant, dans la pièce, l'affirmation de son aspect dérisoire. L'ironie et le sarcasme désamorcent souvent l'effet du registre pathétique. Les « coups de théâtre » mélodramatiques sont eux aussi utilisés d'une façon ironique et distanciée : ainsi, l'évanouissement de Lorenzo face à la provocation en duel de sire Maurice est feint (I, 4). Seule l'évocation de la nature, thème traditionnel de la poésie romantique, échappe à cette tendance sarcastique : Lorenzo s'émeut réellement devant le spectacle de la nature une fois son crime accompli (IV, 11).

Action

Les forces à l'œuvre

Le schéma actantiel de *Lorenzaccio* n'est guère aisé à mettre en place. L'action se développe sur pas moins de cinq actes et trente-huit scènes. On peut distinguer trois intrigues qui s'entremêlent et mettent en jeu la tension entre le thème politique et le drame de l'individu, qui ne peut agir qu'au risque de se perdre, et dont l'action se révèle finalement inefficace. Ces trois grandes forces ont le même objet : le duc, et le même but : débarrasser Florence de son influence détestable. Chacun des protagonistes de ces intrigues prétend accomplir un idéal et recouvrer une liberté au travers de son action sur le duc. Ces trois forces génèrent trois intrigues distinctes qui se succèdent sur la scène sans jamais s'associer.

L'intrigue de Lorenzo

Lorenzo a décidé depuis longtemps de tuer Alexandre. Il a réussi à s'introduire dans l'entourage de ce dernier en feignant la débauche, mais il se sent désormais corrompu. C'est surtout pour donner un sens à sa déchéance qu'il est décidé à poursuivre son action dans une ville dont les aspects grotesques l'ont profondément déçu. Seules les images diaphanes de sa mère Marie et de sa tante Catherine lui rappellent son passé vertueux. Il hésite à livrer sa jeune tante aux appétits du duc. Mais, par ailleurs, ces personnages ne constituent pas de réel obstacle. Ils lui rappellent son passé, certes, mais seul son projet de tyrannicide le rattache encore à celui-ci. Les manœuvres du cardinal Cibo et le manque de courage ou d'idéal des nobles et du peuple de Florence rendent son action inefficace sur un plan politique.

L'intrigue de la marquise Cibo

Quant à la marquise Cibo, elle s'est fixé pour but de libérer Florence des influences étrangères qui s'exercent sur la ville. Pour ce faire, elle se laisse séduire par le duc, en espérant gagner quelque emprise sur son esprit. Mais elle se leurre et ses longs discours restent vains. Elle doit faire face, dans son entreprise, aux visées de son beau-frère, le cardinal Cibo. Celui-ci est en réalité l'envoyé secret du pape et il voudrait utiliser l'influence de sa belle-sœur sur le duc pour servir ses intérêts.

L'intrigue des Strozzi

Les républicains, menés par Philippe Strozzi, ressassent les anciennes valeurs de la République, mais ils sont incapables de mettre leurs désirs de réforme au service d'une action efficace contre la tyrannie du duc Alexandre. Finalement, c'est Pierre, le fils de Philippe, qui échafaude un projet d'attentat pour se débarrasser du duc. Cependant, il agit là par vengeance personnelle et non par idéal politique. Il veut venger sa sœur, outragée et empoisonnée par la faute du duc. C'est Lorenzo qui le dissuade d'agir en lui dévoilant son propre projet. Une fois Alexandre éliminé, Pierre se désintéresse de Florence.

Les grandes étapes de l'action

La composition de l'œuvre insiste sur l'immobilisme et sur l'inanité de l'action. Les péripéties et les coups de théâtre ne relancent pas l'action. Au contraire, ils la figent. Ainsi, l'aveu fait par la marquise Cibo de son infidélité à son mari clôt une des intrigues (IV, 4). La pièce est circulaire : elle débute et se termine sur la présentation d'un tyran et les discours creux des marchands florentins.

Genre, action, personnages

Dans le premier acte, Musset présente un panorama des catégories sociales et des clans de Florence. L'intrigue de Lorenzo s'ébauche. Il se montre pervers et débauché, mais les plaintes de sa mère, qui lui rappelle son passé vertueux, permettent de déceler l'ambiguïté de sa situation. La marquise est déjà convoitée par le duc. Quant aux Strozzi, l'injure qui est faite à leur fille et sœur, Louise, par des partisans du duc doit les amener à s'opposer matériellement au parti du duc.

L'acte II est le moment des doutes, où chacun avance masqué. Les intrigues s'entremêlent de plus en plus densément : la tension dramatique est à son comble à la fin de l'acte. Lorenzo est montré dans son intimité ; il est mis à l'épreuve par les désirs qu'a exprimés le duc à l'encontre de sa tante. Il fait un premier pas vers la réalisation du meurtre du duc en lui subtilisant sa cotte de mailles. Le cardinal Cibo, qui a appris que sa belle-sœur excitait la convoitise du duc, essaie de gagner de l'influence sur lui par son entremise. Les Strozzi tentent de se venger de Tebaldi, l'âme damnée d'Alexandre, mais celui-ci survit et les accuse.

L'acte III, central, est le plus long. Il est le pivot de l'action. Celle-ci s'accélère : Lorenzo se révèle à Philippe Strozzi, alors que sa tante reçoit un billet doux du duc ; la marquise Cibo se donne au duc et tente vainement de le ramener à sa cause ; Louise Strozzi est assassinée.

L'acte IV est celui du dénouement des trois intrigues principales. La marquise et Philippe Strozzi doivent renoncer à l'action. La marquise dévoile sa liaison avec le duc pour échapper à l'emprise de son beau-frère, le cardinal. Philippe est atterré par la mort de sa fille, et Pierre fuit en France où il ne parvient pas à obtenir l'appui des bannis. Lorenzo, lui, passe à l'action, après de longs atermoiements. Il promet d'abord sa tante au duc, puis essaie, en vain, d'ameuter les républicains. Les monologues se multiplient. À la fin de l'acte, il tue le duc. La portée de son acte reste encore inconnue.

Genre, action, personnages

Le dernier acte est tout entier centré sur Florence et sur son devenir. Le couple Cibo s'est réconcilié, mais les commérages vont bon train. Pierre Strozzi abandonne définitivement Florence pour la France. Quant à Lorenzo, sa tête est mise à prix et il doit fuir à Venise. Après avoir appris la mort de sa mère, il est tué et jeté dans la lagune. Sous la houlette de Cibo, Côme de Médicis est élu duc par les seigneurs de Florence. La boucle est bouclée : un Médicis en remplace un autre. La vie quotidienne reprend son cours, selon le modèle présenté au premier acte. La pièce se termine par le couronnement de Côme par le cardinal Cibo sur la grande place. Finalement, le grand gagnant est Cibo. Il récolte les fruits des intrigues principales sans avoir lui-même rien entrepris directement à l'encontre d'Alexandre.

Personnages

C'est une cité entière qui est représentée au travers d'une cinquantaine de personnages, dont vingt-six portent un nom et au moins une douzaine sont désignés par leur fonction. Pour les personnages principaux, Musset reprend de la chronique de Varchi, dont il s'est inspiré, des figures réelles, mêlées à l'intrigue de 1537. Il introduit quelques changements destinés à augmenter la tension dramatique, comme la mort prématurée de Lorenzo.

Lorenzo

Lorenzo, débauché, jeune, aristocratique est conçu par Musset comme un double de lui-même. Tous les personnages de la pièce sont en quelque sorte des doubles de Lorenzo et incarnent un aspect de sa personnalité. Ils sont d'ailleurs partagés en deux facettes inconciliables : Philippe Strozzi, entre incarnation du sage patriarche et âme du parti républicain ; le cardinal Cibo, entre confesseur et agent secret machiavélique. Par ailleurs, la jeunesse de la plupart des héros les apparente à la jeunesse désabusée de la France de 1830. Dans la chronique de Varchi, Lorenzo reste mystérieux. Varchi ne s'avance pas quant aux motivations de son action, contrairement à Musset qui les attribue à la quête d'un idéal, qui se vide de son sens au fur et à mesure que Lorenzo se compromet auprès du duc. Jusqu'à la scène 3 de l'acte III, cela n'est pas clair pour le spectateur, même si Musset donne plusieurs indices qui contredisent l'apparente vilenie de son héros. Masque (*persona*), il est affublé d'une série de sobriquets parfois positifs, mais surtout négatifs, qui soulignent l'éclatement de sa personnalité et la perte de son identité (Renzo, Lorenzaccio, Renzinaccio). Lorenzo incarne une figure traditionnelle du théâtre, celle du Vengeur. Il se compare lui-même à Brutus, qui feignit la folie pour débarrasser Rome du tyran Tarquin l'Ancien. Il est aussi un avatar d'Hamlet, qui feint la folie pour faire surgir la vérité sur le meurtre de son père, et qui le venge en tuant son oncle et beau-père. Sa dissimulation lui fait aussi endosser le rôle du laquais bouffon et entremetteur. Il est enfin l'archétype du héros romantique, soumis aux déchirements de son Moi, isolé dans une société qui le déçoit, et en accord avec la seule nature.

Alexandre de Médicis

Alexandre de Médicis est le personnage autour duquel s'organisent toutes les intrigues. Il est le type du tyran. Alexandre, fils bâtard de Laurent II de Médicis, fut effectivement à la tête de Florence de 1531 jusqu'à son assassinat par Lorenzo de Médicis, le 6 janvier 1537. Il était mulâtre. Musset ne dit rien de ce métissage, peut-être pour que le personnage ne puisse être assimilé à Othello, personnage de Maure célèbre du théâtre de Shakespeare. Son pouvoir, qu'il tient de l'empereur Charles Quint, est doublement illégitime : non seulement il est un bâtard, mais selon les accords conclus à la suite de la capitulation de 1530, une réforme constitutionnelle devait assurer à Florence sa liberté. Dans la pièce, sa grossièreté et sa brutalité contrastent avec sa haute fonction, dont il se désintéresse, passant son temps dans le lit des femmes. Il est néanmoins un personnage tragique, car il voue une affection presque sans bornes à celui qui veut sa perte, Lorenzo.

Genre, action, personnages

Philippe Strozzi

Philippe Strozzi endosse le rôle traditionnel du père, touché par le malheur au travers de ses enfants : Louise, qui est empoisonnée, et Pierre, qui doit fuir Florence. Il apparaît également comme une image paternelle pour Lorenzo. Placé à la tête du parti républicain, il est l'incarnation même de l'inefficacité politique.

La marquise Cibo

La marquise Cibo est le pendant féminin de Lorenzo, en tant que créature du duc, bien que plus fugitivement. Lorsqu'elle devient la maîtresse du duc, elle se considère comme une héroïne patriotique. Elle n'en est pas moins l'incarnation de la femme adultère, d'autant qu'elle ressent une réelle inclination pour Alexandre. Elle sort de cette condition fausse, qui inspire l'ironie, par un acte réellement héroïque, l'aveu à son mari de son infidélité.

Le cardinal Cibo

Le cardinal Cibo est le type même du prêtre machiavélique, personnage récurrent dans le théâtre de la première partie du XIXe siècle. Il est le seul à voir clair dans le jeu des personnages, et il en tire profit à titre personnel et pour servir l'intérêt de ses maîtres, qu'il a habilement choisis, le pape et l'empereur. Il est le véritable vainqueur du conflit politique, qui s'est terminé par la mort d'Alexandre.

L'œuvre : origines et prolongements

Élaboration de l'œuvre

MUSSET écrit *Lorenzaccio* en puisant dans deux sources directes : une chronique florentine de la Renaissance et un texte à vocation historique, rédigé par l'écrivain George Sand. Il compose trois plans successifs, préalables au texte définitif, conservé en manuscrit autographe et déposé à la bibliothèque de la Comédie-Française. La première édition de *Lorenzaccio* est intégrée à *Un spectacle dans un fauteuil* (prose), publié en 1834. Musset y ajoute en appendice sa source italienne, un fragment des *Chroniques florentines* de Benedetto Varchi. Ce faisant, il suit la tradition des « sources historiques », selon laquelle les pièces justificatives accompagnent souvent la publication.

Les intertextes

PREMIER INTERTEXTE : la *Storia fiorentina* de Varchi. Benedetto Varchi est un chroniqueur florentin à qui Côme de Médicis a commandé une *Histoire de Florence*. Il y relate l'assassinat du duc Alexandre de Médicis en 1537, par Lorenzo, son favori et cousin de la branche cadette du lignage. Ce texte permet à Musset de créer une œuvre aux accents de vraisemblance historique. Il complète cette source par l'appoint de la *Vie de Benedetto Cellini, orfèvre et sculpteur florentin, écrite par lui-même*. Musset s'empare de ce matériau en y ajoutant des touches personnelles : la débauche devient un thème essentiel de l'œuvre, marquant de sa force dramatique chacune des scènes. Il fait de Florence une grande prostituée : cette image gagne les esprits et imprègne tous les personnages. Le duc Alexandre, despote chez Varchi, devient un débauché cynique chez Musset, au sein d'une cité pervertie, et qui tente d'imposer une toute-puissance aux accents malsains.

L'œuvre : origines et prolongements

Lorenzaccio, pour Varchi, est l'entremetteur et le grand organisateur des plaisirs du duc : Musset y ajoute le rôle de compagnon de débauche, mais son principal apport personnel reste celui de l'invention d'une jeunesse studieuse et immaculée – tandis que Varchi lui prête un rapide basculement dans la corruption morale. En le consacrant jeune, pur et insouciant, Musset fait de Lorenzaccio un héros romantique : « Les hommes ne m'avaient fait ni bien, ni mal, mais j'étais bon et, pour mon malheur éternel, j'ai voulu être grand » (III, 3). Une sorte de dédoublement de la personnalité apparaît, notamment à travers le conflit entre les dénominations, de Lorenzo à Lorenzaccio (ce surnom apparaît chez Varchi). Cette projection imaginaire, Musset l'attribue au jeune Lorenzo : le masque que se choisit le dandy devient une seconde peau. Tiraillé entre la nostalgie de la pureté perdue de son enfance et la fascination pour le mal, entre le sentiment de l'amour et l'attrait pour la transgression sexuelle, le Lorenzo de Musset fouille dans les entrailles de la corruption de l'humanité comme pour l'explorer, la comprendre. Il en ressort un personnage complexe et riche, pure production de Musset.

Personnage sans scrupule chez Varchi, Philippe Strozzi est, pour Musset, un républicain, un vieillard noble et idéalisé, en proie aux hésitations et à la peur d'agir, un personnage inspiré du grave Verrina, dans *La Conjuration de Fiesque à Gênes* (1743) de Schiller. Cet ouvrage, qui raconte la conjuration mise en œuvre à Gênes en 1547, par Gian-Luigi Fieschi, comte de Lavagna, contre le doge Andrea Doria – dont le neveu, Gianettino, s'est rendu odieux aux Génois –, a dû lui aussi servir de source à Musset, de même qu'*Hamlet* de Shakespeare ou encore *Jules César*.

L'INTERTEXTE DIRECT : *Une conspiration de 1537* de George Sand. La source première est la scène historique offerte à Musset par son amante George Sand. Aurore Dupin, qui n'a pas encore pris son pseudonyme, a découvert la chronique de Varchi et, grâce à sa maîtrise de l'italien, s'est prise de passion littéraire pour le

L'œuvre : origines et prolongements

récit de l'assassinat du duc de Florence. C'est une « scène histo-rique », un genre à la mode qui ne se veut pas un drame, mais un agencement de faits historiques rassemblés sous une forme dramatique. Ce n'est pas la théâtralité qui est recherchée, mais une certaine « vérité historique », exploitant pour ce faire les sources anciennes et les documents d'archives. Elle essaie de dégager, le concentrant en quelques heures, ce qui, dans les chroniques de Varchi, s'étendait sur plusieurs mois, afin d'en tirer la quintessence dramatique. Elle écrit, à Nohant, en juin 1831, les premières lignes de cette adaptation dramatique. Elle est fort impressionnée par la violence de la scène de meurtre, comme elle l'écrit dans une lettre à Émilie Regnault : « Je tra-vaille à une sorte de *brinborion* littéraire et dramatique, noir comme cinquante diables, avec conspiration, bourreau, assas-sin, coups de poignard, agonie, râle, sang, jurons et malédic-tions. Il y a de tout ça, ce sera amusant comme tout. J'en fais la nuit des rêves épouvantables. » Dans une autre lettre à la même personne, elle évoque un « bel et bon drame, qui fasse avorter de peur toutes les femmes enceintes du boulevard ». L'assassinat du duc, décrit dans toute son horreur par Varchi, se retrouve chez George Sand avec la même frénésie effrayante, dans la sixième et dernière scène. Elle insiste avec force descrip-tions horrifiantes sur les circonstances de l'assassinat d'Alexandre. Musset, de son côté, reprenant cet épisode, se fait plus discret. À la scène 11 de l'acte IV, il expédie la scène en quelques phrases, faisant l'impasse sur le spectacle sanglant et presque grand-guignolesque de George Sand, et en se concentrant sur l'approche symbolique et ses conséquences politiques et mora-les. Chez George Sand, le meurtre libère Lorenzo de son double noir, lié au duc et à ses débauches : « Souillures, infamie, dispa-raissez ! Ce sang vous a lavées. Lorenzaccio n'est plus. Lève-toi, Laurent de Médicis ! » Il s'agit là d'une sorte de purification par un crime rituel. Chez Musset, les faits sont tout autres : Alexandre, mordant le doigt de Lorenzo, alors qu'il agonise sous son couteau, unit à jamais, comme par une bague san-glante, leurs destins. Ces noces de sang font de Lorenzo, défini-

L'œuvre : origines et prolongements

tivement, Lorenzaccio, le double sinistre. La déchirure morale est sans appel : le voilà passé du côté obscur. Certes, Lorenzo sera plus savant de la lâche vanité des hommes ; il sera toujours amoureux de la vie. Mais d'un savoir plus noir et d'un amour plus cynique que jamais. Les six scènes rédigées par George Sand s'achèvent par ce meurtre, puis par l'adieu de Lorenzo à Catterina, et enfin son départ pour Venise. Pour Musset, ce n'est qu'un début, ou plutôt le début d'un achèvement : il explique dans l'acte V les conséquences du meurtre, la vacuité des conséquences politiques, à la suite de George Sand, qui avait déjà stigmatisé l'incapacité du peuple florentin à se libérer en s'appuyant sur la mort du duc. Celle-ci avait montré le pessimisme de Lorenzo face à l'action des hommes, son dépit devant la passivité des Florentins. Musset reprend cette vision désappointée, l'amplifie, la met au centre de son œuvre. Il s'interroge désormais sur les sujets de l'histoire, les responsables de l'action, ou plutôt de l'inaction.

Musset donne une nouvelle dimension au contenu dramatique qui était sous-jacent à l'œuvre de Sand. Il décrit par le menu la situation politique de Florence et expose les oppositions économiques et sociales, en y adjoignant de nombreux personnages. Il rompt l'unité de temps, qu'avait laissée intacte George Sand dans sa description heure par heure des événements du 6 janvier 1537, et introduit des décalages, de la simultanéité, des répétitions, en rompant la ligne du temps. Il va plus loin, brisant l'espace théâtral lui-même, mêlant espaces publics et privés, intérieurs et extérieurs. Il détaille les espaces de la ville. De plus, il brise l'unité d'action centrée sur le meurtre du duc chez Sand, en la décomposant en trois unités, qui sont les intrigues croisées autour de Lorenzo, de la famille Cibo et de la famille Strozzi. Est-ce bien une pièce de théâtre qu'a voulu écrire Musset ? Les sources le laissent croire, mais leur orchestration par l'écrivain permet d'en douter. C'est un drame révolutionnaire et romantique.

L'œuvre : origines et prolongements

La réappropriation du Lorenzaccio par Musset

Tout au début de la liaison qu'il entretient avec George Sand, en juillet 1833, celle-ci lui livre le texte d'*Une conspiration en 1537*, une vingtaine de feuillets démembrés d'un petit cahier. Musset s'approprie le texte avant son départ pour l'Italie, en décembre 1833. Il le confronte à ses sources, notamment à la chronique de Varchi, qu'il relit en détail. En janvier 1834, il écrit à son éditeur pour lui demander son avis sur la pièce, preuve qu'elle est bel et bien terminée. Mais il doit la remanier durant les semaines qui suivent, parce que la publication tarde et que Musset lui-même ne semble plus si sûr de vouloir la publier. Lorsqu'on consulte les différents états de la rédaction conservés dans ses manuscrits, on remarque trois plans successifs et deux scènes rédigées mais non utilisées dans la version définitive. On suit le travail d'amplification créatrice de Musset, corrigeant les erreurs historiques de George Sand, ajoutant des personnages et des détails historiques complémentaires. Il rédige chaque scène séparément, puis agence le tout avec un grand souffle dramatique. Il fait revivre une époque, mais surtout illumine le héros, en convoquant Brutus, Oreste, Hamlet, voire Othello.

Le premier plan de l'œuvre montre déjà la structure en cinq actes. La base fournie par l'essai de George Sand donne la trame de nombreuses scènes, telles celle de l'épée provoquant l'évanouissement de Lorenzo (I, 1) ou celle du combat avec Scoronconcolo (II, 5). Le meurtre du duc – les trois dernières scènes d'*Une conspiration en 1537* – occupe le quatrième acte. Mais la suite donne à l'œuvre toute sa consistance dramatique, prolongeant un questionnement politique : le cinquième acte va de la réaction populaire à l'annonce de la mort du duc à l'avènement de Côme, renvoyant au néant le geste assassin et libérateur de Lorenzo, réfugié à Venise. De plus, Musset introduit à l'acte II le personnage de la marquise Cibo : c'est un élément neuf par rapport à la version de George Sand. Florence apparaît encore plus corrompue. On ressent au fil de l'œuvre

L'œuvre : origines et prolongements

un climat politique oppressant, tandis que le personnage de Strozzi prend de l'épaisseur. L'art dans la cité – ou les rapports entre art et politique – s'entrevoit au travers des personnages contrastés de Benvenuto Cellini et de Freccia.

LE DEUXIÈME PLAN comprend toujours cinq actes, mais permute certaines scènes, surtout dans les actes I à III, pour un meilleur équilibre dramatique. L'intrigue Cibo y est plus étoffée : la marquise se confesse au cardinal puis avoue son infidélité à son mari (II, 4 et V, 2). Le dernier plan ne compte plus que trois actes, les trois premiers du deuxième projet. Des faits nouveaux surviennent à propos des Strozzi : Louise Strozzi est poursuivie par Julien Salviati (I, 1), qui insulte Léon Strozzi (I, 4) et qui est attaqué par Pierre (II, 1), tandis que Louise meurt empoisonnée et que Philippe choisit l'exil (II, 5). Cette troisième intrigue s'enchevêtre dans les deux autres – Lorenzo et Cibo. C'est toujours la résistance à l'oppression qui transparaît dans ces intrigues, donnant de l'ampleur à la dimension politique du drame.

LE MANUSCRIT DÉFINITIF compte trente-neuf scènes. Musset y apporte des corrections de sa main jusqu'au bout, notamment l'enlèvement initial qui plonge d'emblée dans l'angoisse. Il ajoute des monologues dans l'acte IV, donnant plus d'épaisseur aux déchirements moraux qui s'emparent de Lorenzo, et les scènes, empreintes de pessimisme politique, aux actes IV et V, dans lesquelles Lorenzo n'arrive pas à rendre crédible, malgré tous ses efforts, l'annonce du meurtre d'Alexandre. L'épouse du duc et Benvenuto Cellini disparaissent, probablement parce que Musset n'est pas parvenu à les fondre dans son œuvre, contrairement à l'autre artiste, Tebaldeo Freccia. Ce manuscrit servira à la première édition de la pièce en 1834. En 1853, l'édition des *Comédies et proverbes* de Musset donne la dernière version du texte tel qu'il a été revu par l'auteur *in extremis*. Musset y supprime notamment une scène (V, 6) où des étudiants prêts à mourir pour leurs droits s'opposent à la répression militaire – scène choquante, voire dangereuse, sous le second Empire ?

L'œuvre
et ses représentations

Une œuvre a-théâtrale ?

Lorsque Musset, qui n'a alors que vingt-trois ans, écrit *Lorenzaccio*, le drame romantique est en pleine explosion. Victor Hugo en a jeté les bases théoriques et dramaturgiques avec *Cromwell*, une pièce trop longue pour être jouée, assortie d'une importante préface et publiée en 1827. Il veut un théâtre libéré des règles classiques, où se mêlent le grotesque et le sublime, et capable de représenter les mouvements de l'Histoire à travers toutes les classes sociales. Shakespeare et Schiller sont les auteurs qui inspirent cette conception du théâtre qui rejette l'unité et la bienséance si chères au classicisme français. Parmi les influences créatrices du drame romantique, notons la venue à Paris, en 1829, de comédiens anglais qui triomphent avec Shakespeare pour la première fois en France (alors que, sept ans plus tôt, les premières représentations de Shakespeare jouées par les Anglais à Paris n'avaient recueilli que des huées). C'est *Henri III et sa cour* (1829) d'Alexandre Dumas père qui donne au drame romantique son premier triomphe au théâtre. Mais c'est à l'occasion de la création d'*Hernani* de Victor Hugo, en 1830, qu'éclate le conflit entre les partisans du drame romantique et les éléments conservateurs du public, ces derniers souhaitant le maintien des règles de la dramaturgie classique. Les créations d'Hugo se succèdent : *Marion de Lorme* (1831), *Le Roi s'amuse* (1832, censuré par le pouvoir après la première représentation), *Lucrèce Borgia* (1833), *Marie Tudor* (1833) ; de même que celles d'Alexandre Dumas : *Antony* (1831), *Charles VII* (1831) et *la Tour de Nesle* (1832).

Par ailleurs, Musset a connu, en 1830, un échec brutal avec la présentation de sa pièce *La Nuit vénitienne*. De plus, l'interdiction par la censure du *Roi s'amuse* de Victor Hugo lui indique que le pouvoir n'acceptera pas que l'on joue une pièce dont le sujet est l'assassinat d'un souverain régnant. Mais Musset a beau renoncer à se faire produire sur scène, il persiste tout de même à écrire du théâtre.

L'œuvre et ses représentations

Un théâtre « injouable » ?

Musset va bien plus loin que la « scène historique », on l'a vu, par les libertés qu'il prend avec l'Histoire et la vraisemblance historique, n'hésitant pas à rapprocher des faits, à construire des intrigues, à inventer des personnages ou à juxtaposer des anachronismes volontaires. Mais en est-il néanmoins devenu un auteur de théâtre ? Non, pas au sens classique du terme. Drame romantique, *Lorenzaccio* a été écrit contre la tyrannie de la scène et ses codes sclérosants. Une telle pièce ne pourra être représentée qu'au xxe siècle. L'espace scénique rompt avec les décors figuratifs, accentue les caractères des personnages, met en relation l'histoire présente et la représentation du passé, déchiffre des déchirements moraux et existentiels. La mise en cause par Musset de l'être et de son action, de l'efficacité de sa parole et de sa capacité d'agir dans le monde font de l'œuvre plus qu'un drame ! La pièce montre toute la difficulté de passer de la parole à l'acte par la démonstration d'une action révolutionnaire d'emblée destinée à l'échec. Ajoutons à cela l'éclatement spatio-temporel, les brisures de temps, d'espace et d'action, le thème de l'action révolutionnaire (même vaine) et le régicide (bien réel), et l'on comprendra pourquoi cette pièce n'était pas jouable au xixe siècle.

Ainsi, les cinq actes de *Lorenzaccio* n'ont jamais été joués intégralement ; leurs trente-neuf tableaux exigeraient deux soirées, une trentaine de décors, plus de cent interprètes. Présentée intégralement, la pièce durerait plus de six heures. Nombre de jeux de scène sont impossibles à réaliser si l'on tient compte des contraintes scéniques du xixe siècle. Par exemple, la scène 2 de l'acte I, où est notée, entre autres, l'indication suivante : « Louise frappe son cheval et part au galop », pose des problèmes de mise en scène irrésolus à cette époque. La censure impériale y ajouta un *veto*, attendu que « la discussion du droit d'assassiner un souverain dont les crimes et les iniquités crient vengeance, le meurtre même du prince par un de ses parents, type de dégradation et d'abrutissement, paraissent un spectacle dangereux à montrer au public ».

L'œuvre et ses représentations

Notons aussi le fait qu'aucun homme ne voulait jouer le personnage de Lorenzaccio. Il énonce en effet les mots suivants, lorsqu'il évoque sa relation avec le duc : « Pour devenir son ami, et acquérir sa confiance, il fallait baiser sur ses lèvres épaisses tous les restes de ses orgies » (III, 3). Or, aucun acteur ne voulait assumer cette dimension homosexuelle du personnage. Ainsi, pour des raisons politiques, il est impossible de jouer la pièce sous Louis-Philippe comme sous Napoléon III, même si, en 1863, le frère d'Alfred de Musset, Paul, adapta un texte pour le théâtre de l'Odéon.

Une œuvre très jouée

Premières représentations : une œuvre dénaturée ?

Ce n'est qu'en 1896, au théâtre de la Renaissance, que la pièce est jouée, dans une version très édulcorée qui supprime tout l'acte V et redistribue l'action en six actes. Lorenzaccio y est incarné par Sarah Bernhardt. La pièce, malgré l'adaptation contestable, connut un grand succès grâce au charisme de l'actrice et fut jouée plus de quatre-vingts fois ; elle sera reprise en 1912 avec la même Sarah Bernhardt. La Comédie-Française crée la pièce en 1927, dans une adaptation d'Émile Fabre, mais toujours avec une femme dans le rôle de Lorenzo, Marie-Thérèse Piérat. Il s'agit d'une représentation assez longue, empreinte de reconstitution historique. La même année, c'est l'actrice Falconetti qui incarne Lorenzo au théâtre de la Madeleine, dans une mise en scène d'Armand Bour : le texte reste remanié, mais le décor réaliste a disparu. Et en 1945, lorsque le célèbre metteur en scène Gaston Baty décide d'aborder la pièce, c'est à Marguerite Jamois qu'il confie le rôle principal, mais il en donne une lecture assez contemporaine. Il réécrit presque totalement la pièce, insiste sur la question de la tyrannie, crée une mise en scène dépourvue de décor.

L'œuvre et ses représentations

Les représentations « contemporaines » : une œuvre retrouvée ?

Il faudra attendre que Jean Vilar monte la pièce à Avignon, en 1952, pour qu'un homme, Gérard Philipe, aborde enfin le rôle, qui sera un des plus beaux succès de sa carrière. Mais, surtout, c'est cette production qui prouve que la complexité du texte peut passer au théâtre. Le texte est encore allégé, mais la fin n'est pas tronquée. Gérard Philipe, dans une composition androgyne, montre un Lorenzaccio tourmenté.

La mise en scène de Guy Rétoré au TEP (Théâtre de l'Est parisien) dépouille le personnage et la scène de son romantisme échevelé. Florence apparaît austère. C'est la violence froide du politique qui domine, notamment dans l'interprétation de Gérard Desarthe. Au Québec, la pièce a été jouée pour la première fois professionnellement au TNM, en 1965, dans une mise en scène de Jean Gascon, avec Albert Millaire dans le rôle-titre et Jean Coutu dans celui du duc. En 1969, le metteur en scène Otomar Krejca donne une version qui marque un tournant, au théâtre Za Branou à Prague : Lorenzo se perd dans un univers de mensonges et d'illusions matérialisé par des jeux de miroirs. L'oppression y est palpable. Tous les personnages y sont tenus par les deux mêmes acteurs ; le personnage de Cibo y est mis en évidence comme le grand manipulateur.

Plus traditionnelle, la mise en scène de Franco Zeffirelli, à la Comédie-Française en 1976, insiste sur le côté passionnel et esthétique de l'œuvre. Un film s'ensuivra, réalisé par le même auteur, en 1996. Daniel Mesguich, dans la mise en scène qu'il donne, en 1986, au Théâtre de Saint-Denis, insiste sur la relation amoureuse entre Lorenzo et Alexandre, qui estompe le côté politique de l'intrigue. Au même moment, la Société Radio-Canada présente Lorenzaccio en téléthéâtre en 1986, avec Guy Nadon dans le rôle principal. Signalons aussi que lorsque le Théâtre de Quat'Sous, en 1986, a demandé au Grand Cirque Ordinaire de créer un nouveau spectacle, les membres du collectif ont centré leur création sur le personnage de Lorenzaccio, l'intitulant *Avec Lorenzo à mes côtés*.

L'œuvre et ses représentations

Les dernières représentations : retour au « conventionnel » ?

En 1989, Francis Huster – le Lorenzaccio de Zeffirelli – met en scène la pièce au Théâtre du Rond-Point. Il allonge la pièce et place en ouverture les premières phrases de la *Confession d'un enfant du siècle* de Musset, réintroduit la cité sur scène et tente de remettre le drame dans son contexte de création, soit la France troublée de 1830. La même année, Georges Lavaudant met en scène de manière assez conventionnelle *Lorenzaccio*, à la Comédie-Française, avec comme interprète principal Redjep Mitrovista. On notera qu'un film sort au même moment, en 1989, réalisé par Alexandre Tarta, avec Georges Lavaudant comme scénariste.

La pièce a été produite également au Théâtre Denise-Pelletier, au cours de la saison 1998-1999, dans une mise en scène de Claude Poissant. En 2000 et 2001, plusieurs adaptations voient le jour : celle de Jean-Luc Jeener au Théâtre Nord-Ouest, à Paris (2000) ; puis celle de Jean-Pierre Vincent au Théâtre des Amandiers, à Nanterre (2000) ; enfin, celle de Henri Lazarini au Nouveau Théâtre Mouffetard, à Paris (2001).

La position de Jean-Pierre Vincent

« Lorenzo, ange et pourriture, concentre en lui la tension centrale qui traverse toute la pièce et les autres personnages : d'un côté, la corruption omniprésente, de l'autre, l'angélisme étouffé qui anime tous ceux qui voudraient "faire quelque chose". La réponse finale de Musset n'est pas optimiste, mais avons-nous besoin d'optimisme, ou bien de franchise ? Et avons-nous besoin de théâtre bien ficelé, ou de ce genre de monstre qui file dans plusieurs directions à la fois, qui se fiche pas mal des unités de temps, de lieu, qui fonce tête baissée dans les sécurités de l'écriture classique. Peu importe à Musset ce qui en résultera : son théâtre est irrecevable en son temps. C'est à l'avenir qu'il prétend s'adresser. Son imprudence/impudence s'est donné quelque chance de vibrer encore longtemps » (Programme du Festival d'Avignon, 2000).

L'œuvre et ses représentations

La critique de théâtre de Fluctuat.net, Virginie Lachaise, met l'accent sur la rupture introduite par cette mise en scène : « La mise en scène de Jean-Pierre Vincent opte délibérément pour l'anachronisme – les comédiens jouent en costumes XIXe siècle – et les effets de rupture en tous genres, spatiaux d'abord, lumineux ensuite. Ainsi, sur un plateau évidé, haché au fond par un mur aux couleurs de crépuscule et divisé sur la droite par un escalier en forme de gradins ou de promontoire, un éclairage cru interrompt soudain une atmosphère de clair-obscur, elle-même tailladée de carrés de lumière en forme de petits plateaux. »

Gérard Philipe et Daniel Ivernel.
Mise en scène de Jean Vilar, Festival d'Avignon, 1952.

Philippe Caubère et Christine Boisson.
Mise en scène de Otomar Krejca, Festival d'Avignon, 1979.

Lorenzaccio mis en scène par Daniel Mesguich,
Théâtre Gérard Philipe, Saint-Denis, 1985.

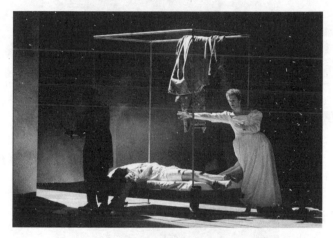

Lorenzaccio mis en scène par Jean-Pierre Vincent,
Théâtre des Amandiers, Nanterre, 2000.

Sarah Bernhardt dans *Lorenzaccio*.

L'œuvre à l'examen

Objets d'étude : le théâtre,
texte et représentation.

À l' *écrit*

**Corpus bac : violence des mots et violence
des actes : le problème de la représentation
du meurtre au théâtre**

TEXTE 1

Lorenzaccio, Musset. Acte IV, scène 11.

TEXTE 2

Hamlet (1602), Shakespeare, in *Richard III*,
Roméo et Juliette, *Hamlet*.
Traduit de l'anglais par François-Victor Hugo,
Paris, Flammarion, coll. « GF », 1964.
Acte V, scène 2.

HORACIO
Ils saignent tous les deux. Comment cela se fait-il, monseigneur ?

OSRIC
Comment êtes-vous, Laertes ?

LAERTES
Ah ! comme une buse prise à son propre piège, Osric ! je suis
tué justement par mon guet-apens.

HAMLET
Comment est la reine ?

LE ROI
Elle s'est évanouie à la vue de leur sang.

L'œuvre à l'examen

LA REINE

Non ! non ! le breuvage ! le breuvage ! Ô mon Hamlet chéri ! le breuvage ! le breuvage ! Je suis empoisonnée. *(Elle meurt.)*

HAMLET

Ô infamie ! ... Holà ! qu'on ferme la porte ! Il y a une trahison : qu'on la découvre !

LAERTES

La voici, Hamlet : Hamlet, tu es assassiné ; nul remède au monde ne peut te sauver ; en toi il n'y a plus une demi-heure de vie ; l'arme traîtresse est dans ta main, démouchetée et venimeuse ; le coup hideux s'est retourné contre moi. Tiens ! je tombe ici, pour ne jamais me relever ; ta mère est empoisonnée... Je n'en puis plus... Le roi... le roi est le coupable.

HAMLET

La pointe empoisonnée aussi ! Alors, venin, à ton œuvre ! *(Il frappe le roi.)*

OSRIC ET LES SEIGNEURS

Trahison ! trahison !

LE ROI

Oh ! défendez-moi encore, mes amis ; je ne suis que blessé !

HAMLET

Tiens ! toi, incestueux, meurtrier, damné Danois ! Bois le reste de cette potion !... Ta perle y est-elle ? Suis ma mère. *(Le roi meurt.)*

LAERTES

Il a ce qu'il mérite : c'est un poison préparé par lui-même. Échange ton pardon avec le mien, noble Hamlet. Que ma mort et celle de mon père ne retombent pas sur toi, ni la tienne sur moi ! *(Il meurt.)*

HAMLET

Que le ciel t'en absolve ! Je vais te suivre... Je meurs, Horatio... Reine misérable, adieu !... Vous qui pâlissez et tremblez devant cette catastrophe, muets auditeurs de ce drame, si j'en avais le temps, si la mort, ce recors farouche, ne m'arrêtait si strictement, oh ! je pourrais vous dire... Mais résignons-nous... Horatio, je meurs ; tu vis, toi ! justifie-moi, explique ma cause à ceux qui l'ignorent.

HORACIO

Ne l'espérez pas. Je suis plus un Romain qu'un Danois. Il reste encore ici de la liqueur.

HAMLET

Si tu es un homme, donne-moi cette coupe, lâche-la ; ... par le ciel, je l'aurai ! Dieu ! quel nom blessé, Horatio, si les choses restent ainsi inconnues, vivra après moi ! Si jamais tu m'as porté dans ton cœur, absente-toi quelque temps encore de la félicité céleste, et exhale ton souffle pénible dans ce monde rigoureux, pour raconter mon histoire. *(Marche militaire au loin ; bruit de mousqueterie derrière le théâtre.)* Quel est ce bruit martial ?

OSRIC

C'est le jeune Fortinbras qui arrive vainqueur de Pologne, et qui salue les ambassadeurs d'Angleterre de cette salve guerrière.

HAMLET

Oh ! je meurs, Horatio ; le poison puissant étreint mon souffle ; je ne pourrai vivre assez pour savoir les nouvelles d'Angleterre ; mais je prédis que l'élection s'abattra sur Fortinbras ; il a ma voix mourante ; raconte-lui, avec plus ou moins de détails, ce qui a provoqué... Le reste... c'est silence... *(Il meurt.)*

HORACIO

Voici un noble cœur qui se brise. Bonne nuit, doux prince ! que des essaims d'anges te bercent de leurs chants ! ... Pourquoi ce bruit de tambours ici ? *(Marche militaire derrière la scène.)*

L'œuvre à l'examen

TEXTE 3

Le Cid (1637), Corneille.
Acte II, scène 7 ; acte II, scène 8.

ACTE II, SCÈNE 7.
Don Fernand, don Sanche, don Alonse.

DON ALONSE
Sire, le comte est mort.
Don Diègue, par son fils, a vengé son offense.

DON FERNAND
Dès que j'ai vu l'affront, j'ai prévu la vengeance ;
Et j'ai voulu dès lors prévenir ce malheur.

DON ALONSE
Chimène à vos genoux apporte sa douleur ;
Elle vient tout en pleurs vous demander justice.

DON FERNAND
Bien qu'à ses déplaisirs mon âme compatisse,
Ce que le comte a fait semble avoir mérité
Ce châtiment digne de sa témérité.
Quelque juste pourtant que puisse être sa peine,
Je ne puis sans regret perdre un tel capitaine.
Après un long service à mon État rendu,
Après son sang pour moi mille fois répandu,
À quelques sentiments que son orgueil m'oblige,
Sa perte m'affaiblit, et son trépas m'afflige.

ACTE II, SCÈNE 8.
Don Fernand, don Diègue, Chimène, don Sanche, don Arias, don Sanche.

CHIMÈNE
Sire, sire, justice !

L'œuvre à l'examen

DON DIÈGUE
> Ah ! sire, écoutez-nous.

CHIMÈNE
Je me jette à vos pieds.

DON DIÈGUE
> J'embrasse vos genoux.

CHIMÈNE
Je demande justice.

DON DIÈGUE
> Entendez ma défense.

CHIMÈNE
D'un jeune audacieux punissez l'insolence ;
Il a de votre sceptre abattu le soutien,
Il a tué mon père.

DON DIÈGUE
> Il a vengé le sien.

CHIMÈNE
Au sang de ses sujets un roi doit la justice.

DON DIÈGUE
Pour la juste vengeance il n'est point de supplice.

DON FERNAND
Levez-vous l'un et l'autre, et parlez à loisir.
Chimène, je prends part à votre déplaisir ;
D'une égale douleur je sens mon âme atteinte.
Vous parlerez après ; ne troublez pas sa plainte.

CHIMÈNE
Sire, mon père est mort ; mes yeux ont vu son sang
Couler à gros bouillons de son généreux flanc ;
Ce sang qui tant de fois garantit vos murailles,
Ce sang qui tant de fois vous gagna des batailles,

L'œuvre à l'examen

Ce sang qui tout sorti fume encor de courroux
De se voir répandu pour d'autres que pour vous,
Qu'au milieu des hasards n'osait verser la guerre,
Rodrigue en votre cour vient d'en couvrir la terre.
J'ai couru sur le lieu, sans force et sans couleur,
Je l'ai trouvé sans vie. Excusez ma douleur,
Sire, la voix me manque à ce récit funeste ;
Mes pleurs et mes soupirs vous diront mieux le reste.

TEXTE 4

Ruy Blas, drame (1838), Victor Hugo, in *Ruy Blas*,
Paris, Gallimard, coll. « Folio-classique », 1997.
Acte V, scène 3.

RUY BLAS, *terrible, l'épée de don Salluste à la main*
Je crois que vous venez d'insulter votre reine !
Don Salluste se précipite vers la porte. Ruy Blas la lui barre.
– Oh ! n'allez point par là, ce n'en est pas la peine,
J'ai poussé le verrou depuis longtemps déjà.
Marquis, jusqu'à ce jour Satan te protégea,
Mais, s'il veut t'arracher de mes mains, qu'il se montre !
– À mon tour ! – On écrase un serpent qu'on rencontre.
– Personne n'entrera, ni tes gens, ni l'enfer !
Je te tiens écumant sous mon talon de fer !
– Cet homme vous parlait insolemment, madame ?
Je vais vous expliquer. Cet homme n'a point d'âme,
C'est un monstre. En riant hier il m'étouffait.
Il m'a broyé le cœur à plaisir. Il m'a fait
Fermer une fenêtre, et j'étais au martyre !
Je priais ! je pleurais ! je ne peux pas vous dire !
Au marquis.
Vous contiez vos griefs dans ces derniers moments.
Je ne répondrai pas à vos raisonnements.
Et d'ailleurs – je n'ai compris – Ah ! Misérable !

L'œuvre à l'examen

Vous osez, – votre reine ! une femme adorable !
Vous osez l'outrager quand je suis là ! – Tenez,
Pour un homme d'esprit, vraiment, vous m'étonnez !
Et vous vous figurez que je vous verrai faire
Sans rien dire ! – Écoutez ! quelle que soit sa sphère,
Monseigneur, lorsqu'un traître, un fourbe tortueux,
Commet de certains faits rares et monstrueux,
Noble ou manant, tout homme a droit sur son passage,
De venir lui cracher sa sentence au visage,
Et de prendre une épée, une hache, un couteau !...
Pardieu ! j'étais laquais ! quand je serais bourreau ?

LA REINE
Vous n'allez pas frapper cet homme ?

RUY BLAS
                                    Je me blâme
D'accomplir devant vous ma fonction, madame.
Mais il faut étouffer cette affaire en ce lieu.
Il pousse don Salluste vers le cabinet
C'est dit, monsieur ! allez là-dedans prier Dieu !

DON SALLUSTE
C'est un assassinat !

RUY BLAS
              Crois-tu ?
Don Sallustre
Désarmé, et jetant un regard plein de rage autour de lui.
                        Sur ces murailles
Rien ! Pas d'arme !
À Ruy Blas
              Une épée au moins !

RUY BLAS
                        Marquis ! tu railles !
Maître ! est-ce donc que je suis gentilhomme, moi ?
Un duel ! fi donc ! je suis un de tes gens à toi,

L'œuvre à l'examen

Valetaille de rouge et de galons vêtue,
Un maraud qu'on châtie ou qu'on fouette, – et qui tue.
Oui, je vais te tuer, monseigneur, vois-tu bien ?
Comme un infâme ! comme un lâche ! comme un chien !

LA REINE
Grâce pour lui !

RUY BLAS
À la reine, saisissant le marquis.
            Madame, ici chacun se venge.
Le démon ne peut plus être sauvé par l'ange !

LA REINE
À genoux
Grâce !

DON SALLUSTE
Appelant
            Au meurtre ! au secours !

RUY BLAS
Levant l'épée
                              As-tu bientôt fini ?

DON SALLUSTE
Se jetant sur lui et criant
Je meurs assassiné ! Démon !

RUY BLAS
Le poussant dans le cabinet
                              Tu meurs puni !
Ils disparaissent dans le cabinet, dont la porte se referme sur eux.

LA REINE
Restée seule, tombant à demi-morte sur le fauteuil
Ciel !

L'œuvre à l'examen

a. Question préliminaire (sur 4 points)

Comment la violence du meurtre est-elle évoquée, par les actes ou par la parole, dans les textes présentés ? Pouvez-vous distinguer deux stratégies différentes choisies par les auteurs pour évoquer la violence sur la scène ? Vous expliquerez les choix des auteurs de ces textes.

b. Travaux d'écriture (sur 16 points) – au choix

Sujet 1. Commentaire.

Vous ferez le commentaire du texte extrait du *Cid* de Corneille.

Sujet 2. Dissertation.

Vous ferez le commentaire de cette citation d'Antonin Artaud, théoricien du « théâtre de la cruauté » : « Les mots parlent peu à l'esprit ; l'étendue et les objets parlent. »

Sujet 3. Écriture d'invention.

Vous rédigerez la tirade narrative que pourrait faire un serviteur fidèle de don Salluste qui se serait trouvé à la fenêtre et aurait été spectateur du combat de son maître et de Ruy Blas. Vous veillerez à prendre en compte et à mettre en valeur les problèmes de focalisation entraînés par l'usage de la narration dramatique.

Documentation et compléments d'analyse sur :
www.petitsclassiqueslarousse.com

L'œuvre à l'examen

À l' **oral**   **Objet d'étude :** le théâtre, texte et représentation.

Acte III, scène 3. Tirade de Lorenzo de « Tu me demandes pourquoi... » à « devant le tribunal de ma volonté ».

Sujet : quelle est l'efficacité de la parole à travers ce texte ?

I. Situation de ce monologue

Ce monologue de Lorenzo est un extrait de la scène centrale du texte. Située au centre de l'œuvre, elle est aussi la scène la plus longue. C'est celle durant laquelle Lorenzo dévoile explicitement les déchirements de son âme, alors que seuls quelques indices minimes laissaient entendre qu'il n'était pas le débauché qu'il laissait paraître.

Le duc de Florence, Alexandre de Médicis, vient de faire arrêter les fils de Philippe Strozzi, afin de les faire comparaître devant un tribunal. Lorenzo tente de le dissuader d'agir : lui-même a décidé de tuer le duc dans les deux jours.

L'œuvre à l'examen

II. Projet de lecture
L'efficacité de la parole

a. Le discours lui-même est efficace car il prend la forme traditionnelle d'un plaidoyer en en adoptant toutes les étapes.

b. Lorenzo y explique comment la parole et l'action se complètent et comment la parole peut devenir action.

c. Enfin, le langage employé par Lorenzo est l'outil du dévoilement de sa personnalité, qui est l'enjeu de cette scène centrale.

III. Composition du monologue

Lorenzo suit la forme du plaidoyer. Il pose tout d'abord une série de questions touchant à la nécessité pour lui de commettre ce meurtre s'il veut donner un sens à la vie qu'il a menée ces dernières années (« l'énigme de ma vie »). Ensuite il décrit sa situation actuelle : il ne peut se passer de la débauche, mais il méprise les lâches républicains. Enfin, il exalte sa personne et s'érige en juge en se projetant dans l'avenir, après le meurtre. De squelette vide, il devient homme, puis juge tout-puissant au fil du texte.

IV. Analyse du monologue
Un plaidoyer parfaitement maîtrisé

Reprise des éléments traditionnels du plaidoyer judiciaire et de la syntaxe qui leur est attachée.

a. Au début, l'exorde est composé d'une série de questions oratoires, renforcées par une série d'anaphores (« veux-tu donc ? », « songes-tu ? »).

b. À la fin, la péroraison a recours au registre pathétique (images outrées : « ma vie entière est au bout de ma dague » ; exaltation grandiose du locuteur).

Parole et action : de l'opposition à la fusion

a. L'opposition

Opposition de la parole à l'action par une série d'antithèses (Mon cœur/mon cœur d'autrefois ; meurtre/vertu ; orgueil/

honte ; vertu/vice ; et surtout injures/assommer ; agissent/dit, dire ou encore tailler leur plume/nettoyer leur pique). Lorenzo se révolte contre « le bavardage humain ».

Opposition du personnage de Lorenzo, actif, à celui de Philippe, qui se contente de la parole (« toi qui me parles »/ « mon meurtre »). Cependant, cette opposition reste fondée surtout sur le pouvoir de la parole : l'épanadiplose (« tu honores ») enferme cette opposition dans une structure de langage très lourde.

b. La fusion

La parole peut être assimilée à une réalité concrète : *zeugma* (boue = infamie).

Les concepts abstraits sont assimilés à des réalités concrètes (personnification : « L'humanité gardera sur sa joue le soufflet de mon épée », ou réification : « Je jette la nature humaine à pile ou face »).

Le meurtre accompli est finalement assimilé non à un acte concret mais à un bruit : « en m'entendant frapper ».

Relation de cause à effet

Les quolibets des républicains sont à l'origine de l'impatience de Lorenzo à agir ; et son action va faire couler le flot de leurs paroles (« vider leur sac à parole »).

La parole comme révélateur

La parole de Lorenzo est une affirmation de soi. La répétition de toutes les formes de pronoms et d'adjectifs personnels et possessifs de la première personne s'accumulent dans son discours. Le meurtre lui permettrait d'approcher l'unité de son moi : Lorenzo pourrait retrouver le Moi d'autrefois qui avait imaginé le meurtre comme un idéal à accomplir. Il ne pousse cependant pas l'optimisme jusqu'à croire que ce meurtre abolira la distance entre sa personnalité d'hier et celle d'aujourd'hui.

Lorenzo nomme le meurtre qu'il s'apprête à commettre « mon meurtre », utilisant le possessif dans un sens subjectif (Lorenzo est le sujet de l'action « tuer ») et non objectif (Alexandre va être l'objet du meurtre projeté par Lorenzo). Ainsi, il marque bien que le tyrannicide a essentiellement pour fonction de l'aider à se ressaisir de son identité, lui qui n'est plus qu'un mort-vivant (spectre, squelette). Donner la mort est censé lui rendre la vie. On peut même parler de synecdoque : le meurtre devient une part même de Lorenzo.

V. *Quelques éléments de conclusion*

1. Le drame romantique fait de la parole un des enjeux de la pièce alors que, pour les classiques, elle n'était qu'une réponse à la structure de la pièce. Il ne pouvait y avoir opposition : l'action était au service de la parole et la parole au service de l'action.

2. Pour Lorenzo, la parole est action. Elle est affirmation de son Moi et de ses déchirements. Elle peut aussi les résoudre en partie.

3. Cependant, la parole ne peut remplacer l'action : il n'a que sarcasme pour les républicains qui ont remplacé l'action par la parole.

AUTRES SUJETS TYPES

• Acte I, scène 1 : dans quelle mesure cette scène peut-elle être qualifiée de scène d'exposition ? [objet d'étude : le théâtre – texte et représentation].

• Acte I, scène 5 : en quoi cette scène est-elle caractéristique du drame romantique ? [objet d'étude : histoire des mouvements littéraires].

• Acte IV, scène 3 : quels arguments avanceriez-vous pour dire que cette tirade est caractéristique d'un héros romantique ? [objet d'étude : histoire des mouvements littéraires].

• Acte V, scène 5 : dans quelle mesure ce passage constitue-t-il un dénouement comique à la pièce ? [objet d'étude : genres et registres].

 Documentation et compléments d'analyse sur :
www.petitsclassiqueslarousse.com

Outils de lecture

Allitération
Répétition de consonnes dans une suite de mots rapprochés.

Anaphore
Répétition d'un mot ou d'un groupe de mots au début de phrases consécutives.

Antithèse
Rapprochement et mise en contraste de deux idées.

Argumentatif (discours)
Forme de discours qui vise à convaincre, persuader, prouver. A pour but de défendre une thèse en donnant des arguments et des exemples qui s'enchaînent grâce à des liens logiques.

Assonance
Répétition d'un même son voyelle dans une suite de mots rapprochés.

Baroque
École esthétique qui privilégie les images étonnantes, l'exubérance, et que le classicisme supplanta en France vers 1660.

Classicisme
Terme forgé à l'époque romantique, qui désigne une école esthétique française du XVIIe siècle que l'on peut caractériser par le respect des règles de bienséance, de vraisemblance et d'unité au théâtre.

Délibératif (discours)
Discours dans lequel un personnage analyse tous les aspects d'un problème dont il cherche la solution.

Dénouement
Résolution des conflits qui intervient à la fin de la pièce.

Didascalie
Indication scénique donnée par l'auteur. Tout ce qui n'est pas dialogue dans une pièce de théâtre.

Discours
Définition d'un texte en fonction de son organisation : sa forme dépend de l'intention de l'auteur ou de celle prêtée au personnage (narrative, délibérative, descriptive, explicative, argumentative, injonctive).

Dramaturgie
Ensemble des procédés utilisés par un auteur pour construire une pièce de théâtre.

Drame
Forme théâtrale neuve, en rupture brutale avec les œuvres antérieures. Elle est adoptée par les romantiques et prend pour références la tragédie grecque et surtout Shakespeare. Elle se caractérise par la rupture de l'unité classique, une ouverture sur le monde et l'Histoire, le refus de la distinction entre comédie et tragédie.

Éponyme
Se dit du personnage dont le nom sert de titre à l'œuvre.

Exposition
Première(s) scène(s) présentant l'intrigue et les personnages.

Outils de lecture

Genre
Catégorie à laquelle appartient
une œuvre littéraire.

Hyperbole
Figure de style qui consiste
à amplifier une idée pour la mettre
en relief. Exagération.

Ironie
Ce procédé est l'art de faire
entendre autre chose que ce que
l'on dit grâce à un dédoublement
énonciatif.

Lyrique (registre)
Utilisé pour exprimer
des sentiments amoureux ou
amicaux, associés à des images
et à un rythme vif. Le lyrisme
élégiaque est douloureux
et plaintif.

Mélodrame
Drame populaire. Il use
de la terreur et des effets
pathétiques, met en scène
des personnages bourgeois
et populaires et présente
des tendances moralisatrices.

Métaphore
Figure de style qui désigne
une idée par le nom d'une autre,
plus concrète.

Métonymie
Figure de style qui substitue
un terme à un autre en vertu
d'une relation logique (le contenant
pour le contenu, la cause pour
l'effet).

Pathétique (registre)
Utilisé pour susciter une émotion
intense.

Périphrase
Désignation détournée.

Personnage
Étymologiquement, masque
de théâtre, puis toute personne
jouant un rôle.

Registre
Manifestation par le langage
des grandes catégories
d'émotions (joie, angoisse,
admiration, plainte...)
et de la sensibilité.

Règle de la bienséance
Règle qui oblige à respecter
les conventions morales
et esthétiques de la société
française du XVIIe siècle.

Règle des trois unités
Une pièce classique doit
respecter l'unité d'action (elle est
centrée sur une action unique),
l'unité de lieu (elle se passe en
un seul lieu), l'unité de temps
(elle se passe en une seule
journée).

Règle de la vraisemblance
Le vraisemblable est ce qui paraît
vrai (mais ne l'est pas forcément).
La tragédie classique refuse
l'illogisme, le fantaisisme
et l'incroyable (fût-il vrai).

Romantisme
Mouvement littéraire né dans
les années 1820, qui rejette
les règles du classicisme.
Le romantisme est caractérisé
par un style lyrique,
une représentation directe
de la violence, la douleur de vivre
et l'obsession du temps qui
passe.

Outils de lecture

Sublime
État exceptionnel ou idéal
du héros qui atteint sa pleine
dimension et s'offre
à l'admiration des spectateurs.

Tirade
Longue prise de parole d'un
personnage.

Tragédie (genre)
Pièce développant une action
sérieuse dont le sujet est
emprunté à l'histoire ou
aux traditions antiques. Met
en scène des personnages
illustres qui luttent contre
le destin. Cherche à provoquer
des sentiments de crainte
et de pitié chez le spectateur.

Tragique (registre)
Expression d'un enchaînement
inéluctable conduisant à la mort.
Met en évidence la situation
de victime d'un être face
à des forces qui le dépassent.

Bibliographie filmographie

Ouvrages généraux

- *Le Drame romantique*, Frank Laurent, Michel Viegnes, Hatier, 1996.
- *Le Drame romantique*, Anne Ubersfeld, Belin Sup, 1993.

Sur Musset

- *Le Théâtre de Musset*, Léon Lafoscade, Nizet, 1966 (1ʳᵉ éd. 1901).
- *Vues sur le théâtre de Musset*, André Lebois, Aubanel, 1966.
- *Musset et le théâtre intérieur*, Bernard Masson, Armand Colin, 1974.
- *Musset. L'homme et l'œuvre*, Philippe Van Tieghem, Hatier, coll. « Connaissance des Lettres », 1969.

Sur *Lorenzaccio*

- *La Genèse de* Lorenzaccio, Paul Dimoff, PUF, Didier, 1964.
- *Lorenzaccio ou la difficulté d'être*, Bernard Masson, Minard, « Archives des lettres modernes », 1962.
- *Musset et son double. Lecture de* Lorenzaccio, Bernard Masson, Minard, 1978.
- *Alfred de Musset. Lorenzaccio*, Jean-Marie Thomasseau, PUF, coll. « Études littéraires », 1986.
- *Musset. Lorenzaccio, On ne badine pas avec l'amour. « Des mots sont des mots et des baisers sont des baisers »*, recueil d'articles, Société des études romantiques, SEDES, 1990.

Représentation théâtrale en CD

- Musset, *Lorenzaccio*, 1952, T.N.P. : mise en scène Gérard Philipe et Jean Vilard ; avec Gérard Philipe (Lorenzo) [Audivis, Hachette, coll. « Vie du théâtre »].

Crédits
photographiques

Direction de la collection : Carine GIRAC-MARINIER

Direction éditoriale : Claude NIMMO,
avec le concours de Romain LANCREY-JAVAL

Édition : Jean DELAITE,
avec la collaboration de Marie-Hélène CHRISTENSEN

Lecture-correction : service Lecture-correction Larousse

Recherche iconographique : Valérie PERRIN, Laure BACCHETTA

Direction artistique : Uli MEINDL

Couverture et maquette intérieure : Serge CORTESI

Responsable de fabrication : Marlène DELBEKEN